CW00537346

# LA PETITE COMMUNISTE
# QUI NE SOURIAIT JAMAIS

## DU MÊME AUTEUR

*Une fièvre impossible à négocier*, Flammarion, 2003 ; J'ai Lu n° 7485.
*De ça je me console*, Flammarion, 2007 ; J'ai Lu n° 8843.
*Nous sommes les oiseaux de la tempête qui s'annonce*, Flammarion, 2011 ; Babel n° 1248.
*La Petite Communiste qui ne souriait jamais*, Actes Sud, 2014 (prix *Ouest France* / Étonnants voyageurs, prix de la Closerie des Lilas, grand prix de l'héroïne *Madame Figaro*, prix *Version Femina*, prix littéraire d'Arcachon, prix des lecteurs de Levallois, prix Jules-Rimet, prix des lecteurs du Festival du livre de Mouans-Sartoux, prix Calibo de Sainte-Cécile-les-Vignes).

© ACTES SUD, 2014
ISBN 978-2-330-05120-4

LOLA LAFON

# LA PETITE COMMUNISTE QUI NE SOURIAIT JAMAIS

roman

**BABEL**

*Les petites filles ont posé leurs fusils.
Elles avancent dans la mer et s'y plon-
gent, la sueur coulant le long de leur
cou, sous leurs aisselles, dans leur dos.*

Monique Wittig,
*Les Guérillères.*

*Je l'ai appris à l'époque et n'ai jamais
oublié ce conseil : ne pas raconter la
même histoire de la même façon à plus
de deux personnes, sinon, quand ils
faisaient leur rapport à la Securitate,
vous étiez fichue.*

Anonyme,
Roumanie, 1980.

# AVANT-PROPOS

*La Petite Communiste qui ne souriait jamais* ne prétend pas être une reconstitution historique de la vie de Nadia Comaneci. Si les dates, les lieux et les événements ont été respectés, pour le reste, j'ai choisi de remplir les silences de l'histoire et ceux de l'héroïne et de garder la trace des multiples hypothèses et versions d'un monde évanoui. L'échange entre la narratrice du roman et la gymnaste reste une fiction rêvée, une façon de redonner la voix à ce film presque muet qu'a été le parcours de Nadia C. entre 1969 et 1990.

L. L.

# PREMIÈRE PARTIE

Quel âge a-t-elle, demande la juge principale, incrédule, à l'entraîneur. Ce chiffre, quatorze, lui donne un frisson. Ce que la petite a effectué à l'instant dézingue le déroulement des chiffres, des mots et des images. Il ne s'agit plus de ce que l'on comprend. On ne saurait noter ce qui vient d'advenir. Elle jette la pesanteur par-dessus son épaule, son corps frêle se fait de la place dans l'atmosphère pour s'y lover.

Mais pourquoi personne ne les a prévenus qu'il fallait regarder par là, ragent ceux qui ratent le moment où, sur les dix centimètres de largeur de la poutre, Nadia C. se lance en arrière et, les bras en croix, donne un coup de pied à la lune, saut à l'aveugle, et ils se tournent les uns vers les autres, est-ce que quelqu'un a compris, est-ce que vous avez compris ?

Le panneau électronique affiche COMANECI NADIA, ROMANIA suivi de 73, son dossard, et là où il devrait y avoir sa note : rien.

On attend. Blêmes, les gymnastes soviétiques vont et viennent dans les travées réservées aux entraîneurs et aux compétitrices qui ont terminé. Elles savent. Les coéquipières de la Roumaine, elles, semblent au désespoir, Dorina tient ses mains jointes, Mariana murmure une phrase en boucle, une autre est affalée, les yeux fermés ; Nadia, elle, un peu à l'écart, sa queue de cheval de travers, ne jette pas un regard au tableau d'affichage. Et c'est lui qu'elle voit en premier, Béla, son entraîneur, debout, les bras au ciel, la tête renversée en arrière ; elle se tourne enfin et découvre sa sanction, ce terrible 1 sur 10 qui s'inscrit en nombres lumineux face aux caméras du monde entier. Un virgule zéro zéro. Elle repasse de possibles fautes dans sa tête, l'arrivée du périlleux arrière éventuellement, pas assez stable, qu'est-ce qu'elle a pu faire pour mériter ça ? Béla la serre dans ses bras, t'en fais pas chérie, on va déposer une réclamation. Mais un des juges attire son attention. Parce que le Suédois se lève. Parce qu'il a les larmes aux yeux et la fixe. Et tous raconteront cet instant tant et tant de fois qu'elle n'est plus sûre aujourd'hui de l'avoir vécu, peut-être l'a-t-elle vu à la télé, peut-être cet épisode a-t-il été écrit pour un film.

Le public s'est levé et de leurs dix-huit mille corps provient l'orage, leurs pieds grondent rythmiquement au sol et le Suédois dans le vacarme ouvre et ferme la bouche, il prononce des mots inaudibles, des milliers de flashs forment une pluie d'éclats inégaux, elle entrevoit le Suédois, que fait-il, il ouvre ses deux mains et le monde entier filme les mains du juge vers elle. Alors, la petite tend ses deux mains vers lui, elle demande confirmation, c'est un… dix ? Et lui, doucement, hoche la tête en gardant ses doigts ouverts devant son visage, des centaines de caméras lui cachent l'enfant, les gamines de l'équipe roumaine dansent autour d'elle, oui, amour, oui, ce un virgule zéro zéro est un dix.

Le panneau tourne lentement de gauche à droite, du jury vers le public en passant par les gymnastes, affichant ce un qu'il faut comprendre : dix. Une virgule déplacée. Ou plutôt une virgule qui refuse obstinément de se déplacer. Un homme va et vient entre la presse et les juges, son tee-shirt officiel JEUX DE MONTRÉAL 1976 assombri aux aisselles, il s'éponge le front. La chef des juges lui fait signe d'approcher, trop de bruit, quelque chose a détraqué la machine, je vous dis, les sifflets les forcent à se pencher l'un vers l'autre, vous plaisantez ou quoi ? La terre entière filme, c'est le premier jour de la compétition ! Il est où, le type de Longines ? L'ingénieur concepteur des tableaux de notation tente d'enjamber les journalistes agenouillés autour de la petite pour parvenir à la table des juges qui gesticulent : ça ne marche pas votre système ! Et lui, au représentant du CIO qui se bouche une oreille pour l'entendre, ça marche dans les autres compétitions, ça MARCHE, l'ordinateur est infaillible, vous l'avez détraqué, il pointe du doigt les juges mais tout a changé, ils ne lui prêtent plus aucune attention, les juges sont devenus spectateurs, pleurent et ovationnent la gamine qui s'est assise près de son entraîneur, son dos étroit tourné à la machine sénile qui bougonne : un virgule zéro zéro.

On se réunit à la pause. OK. La Roumaine a-t-elle (ou quelqu'un de l'équipe) eu accès aux ordinateurs ? Aurait-elle avalé des produits qui, peut-être, troubleraient le système ? Vous avez perdu la tête mon gars, tout ça pour vous couvrir, franchement, c'est à peine croyable ! On se renvoie la faute. Le Comité olympique nous avait assuré lors de nos réunions préparatoires que dix n'existait pas en gymnastique, protestent les ingénieurs de Longines que la presse appelle narquoisement l'équipe "un virgule zéro zéro". À 13 h 40, on tient le verdict : la banque de données a sauté suite à l'enregistrement des notes inhabituellement élevées. La gamine a défait l'ordinateur.

On a jusqu'au lendemain pour adapter le système à l'enfant. On pousse des boutons, on exécute des programmes. Il faut rajouter un chiffre. Déplacer la virgule. Quelle est la probabilité pour qu'elle réitère son exploit, pensez-vous que "ça" va se reproduire demain ? Je ne sais pas, répond le juge anglais. Je ne sais pas, répond le juge tchécoslovaque. Ils tentent d'imaginer des figures qui mériteraient un dix à la poutre. N'y parviennent pas. Personne n'a jamais eu dix aux Jeux olympiques en gymnastique. On les interroge à nouveau. Vous êtes sûrs que vous n'avez pas été emportés par l'enthousiasme des spectateurs. Non, disent-ils. Ils ont vraiment décortiqué l'enfant, tenté de la prendre en faute, il n'y a rien. Zéro faute. Et même : certains juges auraient aimé aller au-delà, lui donner onze sur dix ! Douze, renchérit aussitôt la juge canadienne. Ou qu'on invente de nouveaux chiffres ! Qu'on abandonne les chiffres.

"Si Comaneci était en compétition contre une abstraction au lieu de rivales humaines, pourrait-on encore lui donner un dix ?" demande-t-on à Cathy Rigby, l'ancienne gymnaste devenue commentatrice des JO sur ABC. "Si Nadia faisait ce qu'elle fait, toute seule, dans une pièce vide, je pense qu'elle mériterait toujours dix", répond Rigby après avoir réfléchi à la possibilité d'inventer des abstractions plus abstraites que la perfection.

On tente de circonscrire l'événement. Dès le lendemain matin, le Comité olympique exige que Nadia se prête à trois contrôles antidopage supplémentaires. On débat. Assiste-t-on à l'émergence d'une nouvelle génération de bébés gymnastes ou sera-t-elle un épiphénomène? C'est un séisme géopolitique. Les entraîneurs soviétiques se font sermonner : on ne va pas laisser la Roumanie nous humilier, camarades, Ludmila va nous sauver! Mais l'après-midi, Ludmila termine sa démonstration au sol dans une pose tragique de statue, performance suivie d'applaudissements mesurables, et va sangloter dans les bras de son entraîneur sous les yeux de la Roumaine impassible.

On convoque les éléments : nage-t-elle dans un océan d'air et de silence? On repousse le sport, trop brutal, presque vulgaire en comparaison de ce qui a lieu, on rature, on recommence : elle ne sculpte pas l'espace, elle est l'espace, elle ne transmet pas l'émotion, elle est l'émotion. Elle apparaît – un ange –, remarquez ce halo tout autour, une vapeur de flashs hystériques, elle s'élève au-dessus des lois, des règles et des certitudes, une machine poétique sublime qui détraque tout.

On commente sa composition : oui, c'est vrai, il y avait déjà des prémices de Nadia dans la Olga des JO de Munich en 1972, mais là, avec Nadia, on a tous les plats servis au même moment! La grâce, la précision, l'amplitude des gestes, le risque et la puissance sans qu'on n'en voie rien! On dit qu'elle peut refaire son enchaînement quinze fois de suite. Et cette ossature... Des os en fils de soie. Morphologiquement supérieure. Plus élastique.

On cherche, on agence les mots comme ceci, puis non, dans cet ordre-là, on tente de dessiner ses contours. La petite fée communiste. La petite fée communiste qui ne souriait jamais. On raye le mot "adorable" car on l'a utilisé trop de fois déjà depuis quelques jours et pourtant, c'est bien ça : douloureusement adorable, insupportablement trop mignonne.

Et, forcés de la regarder de notre place d'adulte, oui, on a envie de se glisser dans son enfance travailleuse, se tenir au plus près d'elle, que protège l'immaculé justaucorps sur lequel on ne distingue aucune trace de transpiration. "Une Lolita olympique d'à peine quarante kilos, écolière de quatorze ans à la silhouette de jeune garçon qui se plie à toutes les demandes", écrivent-ils. On veut se frotter à ses étincelles de jouet magique et turbulent. S'arracher à nos organismes encombrés d'hormones lentes. La gamine gratte le désir, on en veut, oh ce désir de la toucher, l'approcher, une envie-spirale toujours plus pressante et c'est déjà terminé, l'enchaînement à la poutre a duré quatre-vingt-dix secondes. Elle est épidémique. Les revendeurs écoulent à cent dollars des billets pour la finale qui en valent seize car tout le monde tient à voir ses acrobaties enchaînées pendant lesquelles on craint que sa légèreté ne lui permette pas de retomber sur ses pieds. Et quand elle court vers ses sauts périlleux, ses coudes impriment plus de vitesse encore, la fermeté absolue de sa chair compactée dans son maillot blanc, elle est cette mécanique filante génialement échappée à son sexe, évadée vers une enfance merveilleusement lisse et supérieure.

On ne voit plus les choses de la même façon. Nadia est un nouveau départ. Les autres gymnastes sont erreurs, déformations d'idéal. Elle alourdit les années qui la séparent de celles qu'on commence à appeler "les autres", et qui, à l'instant où l'enfant rentre sur le plateau, tirent nerveusement le tissu sur leurs fesses. Ranger ces chairs, planquer tout ce qui soudainement semble de trop, incongru, ridicule même. Ces justaucorps, voilà qu'on les trouve trop échancrés, un peu étroits, peut-être, pour contenir les poitrines comprimées des jeunes femmes qui, lorsqu'elles s'élancent vers le saut de cheval, bougent imperceptiblement. Tout ça, seins, hanches, explique un spécialiste lors de la retransmission, ça ralentit les tours, ça plombe les sauts, c'est moins propre, comme ligne. Ludmila est "terriblement femme". Sur la photo d'un quotidien, à côté de la nymphette roumaine, elle paraît disproportionnée, quant à Olga, franchement, c'est presque embarrassant. La caméra s'attarde sur elle, livide après le sacre de sa rivale roumaine. Non, elle n'est pas fatiguée, elle est usée : elle a vingt ans, presque une – et on entend les rires des autres journalistes présents dans le studio – une vieille femme, on l'a un peu trop utilisée, hein.

D'autres froncent les sourcils, restons fair-play. Dame, oui, c'est pas mal ça, une grande dame, cette Ludmila. Et Olga, après tout, est une ancienne fée, un jour, Nadia vivra ce qu'elle vit. Au même moment, l'image se fige sur la Roumaine au minuscule visage, son pouce qu'elle mordille nerveusement, alors le journaliste murmure : "… Elle a un si petit pouce."

## REPLAY

Le son de la vidéo paraît trafiqué. Comme si on avait amplifié les grincements des barres qu'elle violente avec une précision millimétrique. On les a enveloppés de réverbération, qu'ils soient une ponctuation angoissante, répétitive, à son corps qui enroule les barres. La petite serre les lèvres sous l'effort, ses épaules tressaillent à peine sous l'impact quand, après les avoir lâchées et effectué un tour sur elle-même entre les barres, elle rattrape l'appareil. Elle s'immobilise un instant en équilibre sur les mains sur la barre la plus haute. Un triangle, rectangle mouvant jusqu'à l'isocèle puis un *i*, une ligne de silence, respiration coupée, l'exercice en géométrie va finir, Nadia annonce sa sortie, son dos s'arrondit, les genoux sous le menton pour un double saut périlleux que seuls les garçons réussissent, on pensait assister à l'évolution d'une sylphide, voilà qu'elle emprunte aux hommes et leur flanque la raclée de leur vie. Un cri de femme, hurlement de plaisir fou, s'échappe de la masse des dix-huit mille spectateurs et ponctue les pieds en chaussons blancs qui attrapent le sol sans une seule oscillation. Son dos arqué dessine une virgule jusqu'à ses doigts qui chatouillent le ciel, elle salue. Et l'ordinateur affiche encore ce 1,00 tandis qu'elle court vers Béla qui lui tend les bras.

C'est sur la poutre maintenant qu'elle pirouette, éclairée des flashs de lucioles folles, une lumière sautillante. L'enfant semble retenir toutes les respirations. Elle se lance en double salto et vrille et, d'un claquement de doigts – son arrivée au sol absolument stable –, elle les délivre, comme si on avait tourné un bouton de volume muet jusque-là, alors le public rugit d'adoration et de soulagement qu'elle ne soit pas tombée. Et tous courent vers les salles de rédaction, les téléphones, dix, dix, écrivez bien ça, *she's perfect*, titre *Newsweek*, du jamais vu, la perfection EST de ce monde : "Si vous cherchez un mot pour dire que vous avez vu quelque chose qui était si beau que ça ne disait pas combien c'était beau, dites donc que c'était nadiesque", écrit un éditorialiste québécois. Les juges sont obligés de demander à Béla ce qu'elle a réellement exécuté, ils n'ont pas eu le temps de voir.

*

Il est minuit à Oneşti, une ville de Moldavie roumaine au nord-est de Bucarest. Sur l'écran, l'enfant court, une petite personne agressive, mécanique lancée durant quatre-vingt-dix secondes par ceux qui l'encouragent à éliminer la belle ballerine soviétique dont les mouvements, en comparaison, semblent mous et lascifs.

Stefania s'est glissée sous la table de la salle à manger, elle se cache les yeux de ses mains, un store de précautions, la grand-mère et Gheorghe lui demandant d'arrêter son cinéma. Une houle furieuse s'empare du

21

téléviseur, le son saturé envahit le salon et Stefania, très rouge, s'affole : quoi, quoi Gheorghe, dis-moi elle est tombée, ça y est, elle est tombée, dis-moi ? Son mari s'agenouille près d'elle, doucement, lui ôte ses doigts de devant les yeux, la prend par la main pour la relever en murmurant : regarde, regarde. Au ralenti, le mince corps de leur enfant arpente l'air, disloqué, la démence du saut lentement décomposée, tandis que Stefania sanglote en tendant la main vers la minuscule silhouette, qui, de dos, salue une foule de milliers d'adultes en pleurs.

## MISSION ACCOMPLIE

On l'attend. Pour cette première conférence de presse, c'est complet, les cinq cents sièges et même par terre, pas un espace de libre. Les murs sont joliment recouverts d'un tissu brodé de fleurs. Quand elle arrive enfin, vêtue du survêtement de l'équipe roumaine, bandes bleu jaune rouge et l'écusson communiste sur sa poitrine, son entraîneur la soulève et la porte à bout de bras jusqu'à sa place, la poupée qu'elle serre contre elle porte le même survêtement et leurs cheveux sont noués de la même manière, deux couettes ornées de rubans rouges. Au-dessus d'elle, un portrait du président Ceauşescu.

Les journalistes sont libres de poser toutes les questions à Nadia, annonce aimablement une jeune femme au fort accent roumain. Ils sont à ses pieds car il n'y a plus de chaise, ces adultes se font aussi petits qu'elle, aimes-tu le chocolat, Nadia, quelques mots en français, en français ! Bravo ! Joues-tu au Monopoly, Nadia, as-tu un amoureux, Nadia, on s'attend à les voir sucer leur pouce d'un moment à l'autre tandis qu'ils notent ses canines pointues (de lait ? non, elle a quatorze ans) si mignonnes. Encore,

Nadia, encore, elle mime le juge qui, la voyant désemparée devant le un virgule zéro zéro, lui a fait dix de ses mains ouvertes. Le dix! *Great!* Et maintenant qu'elle a atteint la perfection, qu'envisage-t-elle? Je peux faire mieux, promet-elle, sérieuse, sa poupée de chiffon contre son buste, couvée du regard par son entraîneur, un grand moustachu affable. Alors il faudra sans doute qu'elle invente un autre sport, concluent-ils. Es-tu étonnée d'avoir eu dix, Nadia? Elle hausse ses étroites épaules rectilignes et gazouille en roumain: "Je sais que c'était parfait, j'ai déjà eu dix, c'est pas nouveau." Se pourrait-il qu'elle ait mal compris? On répète. Es-tu étonnée d'avoir tout ga-gné, elle secoue la tête, as-tu de la peine pour Olga et Ludmila, elle répète fermement, non non, pas de peine. On tente une autre approche: "Comment as-tu fêté ta victoire hier soir?" Presque agacée, elle fait la moue: "Je n'ai rien célébré du tout. J'étais sûre d'obtenir au moins un titre. Je suis allée me coucher.

— Que préfères-tu, comme exercice?

— Les barres asymétriques parce que je peux faire des figures que les autres ne réussiront jamais!"

Et... Est-ce qu'elle ne pourrait pas sourire un peu? Elle soupire. Désolée, mais si mon pied mord la bande après une diagonale de saltos, même de trois centimètres (elle lève sa main et déplie le pouce, l'index et le majeur), je suis pénalisée. Alors oui, elle sait sourire, mais une fois sa mission accomplie. Des rires suivis d'applaudissements éclatent dans la salle: mission, c'est trop mignon, Mademoiselle Colonel! Un Anglais affirme qu'elle est bien dans la continuité technique d'Olga K. mais il est aussitôt interrompu par l'entraîneur: "Nous représentons l'école roumaine, on ne copie personne." Certains, dans la salle, évaluent son degré d'enfance. Ce visage terne quand elle évolue, ce sang-froid : sitôt sa note vue, elle a enfilé sa veste de survêtement, une mini-fonctionnaire de l'acrobatie ! Et l'autre matin, je l'ai croisée dans le village olympique, elle passait la visite médicale, ses yeux ne clignaient pas, aucune expression. Qu'est-ce qu'elle a à nous dire ? Elle aime le yaourt et ne mange pas de pain. Génial. C'est un robot communiste de quarante kilos. Elle a une certaine grâce, il faut en convenir, mais c'est une grâce métallique, efficace, on est bien loin du lyrisme des Soviétiques, ah ça, ni cygnes, ni Tchaï-kovski, les Roumaines sont des chiots à qui on lance des épreuves, elles rapportent et servent l'État. On est dans la géométrie, le calcul.

On se prend à regretter les modèles précédents, Olga par exemple, qui, aux JO de Munich, minau-dait de façon vraiment excitante et pleurnichait si elle tombait, puis Ludmila, qui gagnait tout, une calme lady soviétique. Voilà la tradition de danse classique de l'immense URSS défaite par un obscur pays satellite qui vient d'être intronisé spécialiste ès petites filles bien dressées (cet épisode tragique où la belle Ludmila d'un autre siècle tente de dissimuler ses larmes aux reporters dans les bras de son entraî-neur et, juste devant elle, la morveuse parade, effroya-blement maigrichonne).

L'enfant doit se reposer avant les dernières épreuves, on quitte la salle couverts de cadeaux, de l'eau-de-vie de prune, des tissus magnifiques de Transylvanie, les Roumains font bien les choses. On croise des confrères qui n'ont pas pu entrer, on raconte ce fan-tôme de gamine blême, du justaucorps blanc jusqu'à ses mains enduites de magnésie en passant par son visage pâli de fatigue. Chacun rentre à son hôtel, mettre un point final à l'article qu'il faut envoyer dans la nuit, on n'a pas tiré grand-chose de la conférence de presse. Dans le salon, la télé se hâte de résumer la journée pour diffuser l'événement, il n'y en a qu'un : c'est elle. Une jeune femme monte précipitamment le son, Nadia se lance dans son exercice au sol.

Et on réalise que tout ceci, c'est autre chose. Ce charleston sautillant sur lequel elle évolue, ce *Yes Sir, That's My Baby*, cet air est empreint d'une joie d'avant 1929, *yes yes yes*, notre menteuse change la donne, embrouille le possible, *yes sir*, la voilà qui n'utilise même plus ses mains pour s'aider du sol quand elle s'élance, l'air la tient en suspens, *my baby*, et on est tous persuadés que oui, *that's my baby baby*, elle manipule et réarrange parfaitement l'enfance, petit vagabond de film muet dont on voudrait tenir le visage entre les mains. Comme c'est gai. Quelle légèreté. Et ça dégraisse les lourdeurs sécuritaires de ces Jeux qui gardent en mémoire le massacre des JO de Munich, la prise d'otages et l'exécution des athlètes israéliens. La gamine vient nous prendre par la main et, ensemble, on tournoie dans une spirale d'insouciance. Elle salue la foule debout, les Russes maussades quittent la salle en rang derrière leur entraîneur, Béla, lui, tend ses poings, il combat l'air, hilare, entouré des fillettes qui rebondissent autour de lui, leurs yeux cernés par le manque de sommeil et la bouche sèche de faim. On porte l'enfant en triomphe, on s'agenouillera même, s'il le faut, devant cet elfe d'un mètre cinquante-quatre qui balaye les mitraillettes présentes partout dans le village olympique. Elle a sauvé leurs Jeux boursouflés de chiffres, neuf mille deux cent cinquante athlètes, entourés de trois mille deux cent trente-cinq accompagnateurs guettés par plus de huit mille journalistes, seize mille soldats censés éviter une intervention de la bande à Baader, de Carlos, des kamikazes japonais, de l'IRA ou des Palestiniens ou même, peut-être, des autonomistes québécois.

Alors, vides du calme après festivités, déjà en manque de la fée des Carpates, des millions de mères éteignent leur poste de télévision resté ouvert toute la journée depuis le 17 juillet. Elles se prennent à rêver d'en avoir une comme celle-là, si menue, une enfant pâlotte et soucieuse de bien faire, sage, sérieuse, travailleuse, sobre, sans chichis, qui monte sur des podiums et fasse briller de grosses médailles sur un torse plat et ferme, qui attende ses notes devant les caméras du monde entier après avoir enchanté des millions et des millions de téléspectateurs, terminant son numéro sur cette pose devenue une carte postale en vente partout, une qui vienne d'un pays bizarre, cette Roumanie, qui soit rompue à une existence consciencieuse, et à qui on achète des nœuds à nouer joliment autour des cheveux, qui soit adorablement lisse et sans odeur, ce désir de posséder une fillette fermée au monde, qui ne sache pas qu'on ne peut rien pour elle et que bientôt, oh mais très vite, elle sera recouverte de son banal futur biologique.

Alors, vides du calme après festivités, déjà en manque de la fée des Carpates, des millions de petites filles éteignent leur poste de télévision resté ouvert toute la journée depuis le 17 juillet, comme étourdies après une longue absence. Devant le miroir dans le couloir, elles s'essayent au salut triomphant, les bras tendus, l'étirement de la colonne vertébrale leur fait bomber le buste, le tee-shirt laisse apparaître la peau comprimée par l'élastique de la culotte en polyester. Elles se prennent à rêver d'en avoir un comme celui-là, un corps rapide. Les petites filles de l'Ouest ne reprennent pas de gratin et refusent leur dessert le soir même, investies d'une mission secrète, répandre le blanc, ce merveilleux blanc du justaucorps et de la magnésie et de la vie sacrée de Nadia dans la neige, certainement, là-bas où il n'y a rien.

*Je reçois, suite à ma demande de témoignages pour entreprendre cet ouvrage, des dizaines de lettres et plus encore de mails de fans de Nadia C. La plupart de ces femmes ont une quarantaine d'années, d'autres, très jeunes, n'ont pas l'âge de l'avoir vue en direct à Montréal. Mais toutes se souviennent du choc. De leur ébahissement lorsque Nadia C. détraque l'ordinateur. De leur soudain dégoût des céréales trop sucrées, ces paquets remplis de mini-gadgets jetables, une abondance déplacée au royaume de l'héroïque privation. De leur rejet des jupes si peu pratiques pour jouer à Nadia C., celle dont le justaucorps blanc devient le miroir accusateur de leur vie trop molle et sans devoirs. Car Nadia C. n'est pas que légère. Elle est puissante et impitoyable. Nadia C. ne sourit jamais, ne dit jamais merci, ce sont les adultes qui la supplient de leur accorder un regard. Elle se tait, distante et concentrée, entourée d'adultes en survêtement, étranges profs de gym qui la félicitent respectueusement. Celle qui vient d'un pays que personne, pas même les parents, ne connaissait avant que la télé ne l'évoque. Le poster de Nadia C. est la propriété des petites filles de l'été 1976, les garçons eux, punaisent Farrah Fawcett dans leur chambre ; sous son maillot ambré, ses cuisses bronzées s'écartent doucement, tièdes et offertes.*

*

Lors de notre premier échange téléphonique, je précise à Nadia C. que ce récit ne sera pas forcément exact, je me donne le droit de remplir ses silences. Nous convenons que je lui enverrai les chapitres au fur et à mesure pour qu'elle donne son avis.

"*Chère Nadia,*

*Pour répondre à vos questions : je détaille votre relation à Béla plus loin dans le récit. La chronologie ? Il me semble qu'il faut commencer avec Montréal, je dirais presque, s'en débarrasser, puisque tout le monde connaît ou, au moins, en a le souvenir. Mais nous reparlerons de tout ça dans la semaine, je vous appelle. Voilà la suite, ou plutôt, vos débuts !*

*Bien à vous.*"

## UN CHAMP DE VĔRAS

Trois années de dossiers à remplir pour donner naissance à cette école expérimentale de gymnastique où
le calcul côtoiera l'apprentissage des barres asymétriques. Trois ans de rendez-vous à Bucarest avec les
responsables qu'il faut couvrir de cadeaux pour faire
avancer les choses, du whisky américain qu'un ami de
Béla, douanier, confisque aux diplomates, du jambon
de la campagne. Et maintenant que le lieu est trouvé
dans la petite ville d'Oneşti, à peine trente gamines
qui correspondent à ce que Márta et Béla cherchent.
La Fédération de gymnastique s'étonne, agacée, ce ne
sont pas les jeunes filles désireuses d'intégrer l'école
qui manquent, pourquoi ce temps perdu, ces sélections trop dures! Et puis "elles". Toujours elles.
Pourquoi refuser de prendre ce garçon qui se tient
sur la tête et saute plus haut que sa sœur? L'affaire
intrigue en haut lieu. C'est quoi, cette histoire de
sport réservé aux filles, camarade?

Est-ce une théorie? Une intuition? Une constata-
tion? Une idée qui prend forme l'année précédente,
lorsque Béla et Márta parcourent les compétitions
des pays voisins, notant les points forts de chacune

des gymnastes, leurs faiblesses, les musiques, les évolutions qui plaisent au public. En URSS, on puise dans le vocabulaire de la danse classique, alors qu'en Hongrie ou en Bulgarie, les gestes des filles sont amples et sportifs, de vraies montagnardes en train d'effectuer des promenades de santé. Si elles commençaient plus jeunes, elles pourraient prendre part à trois olympiades minimum, s'exclame Márta, impressionnée. Les gymnastes roumaines les plus en vue ont une vingtaine d'années et la plupart se désintéressent des compétitions dès lors qu'elles se marient. "Tout cet investissement, ce temps passé à former des bonnes femmes qui ne pensent plus qu'à écarter les cuisses et à faire la popote, fulmine Béla en sortant d'une énième compétition, et on s'ennuie autant qu'à un foutu ballet, elles ont peur de se décoiffer ou quoi? Même ma grand-mère sait faire des roulades mieux qu'elles!" Furieux de la molle prudence des compétitrices, il s'assied avec Márta sur un banc du parc voisin : "Je préfère encore regarder ces enfants jouer!"

Ces enfants essoufflés qui se suspendent maladroitement à une branche d'arbre et qui n'imaginent pas la chute, des petits qu'on craint à chaque instant de voir tomber. Et qu'on ne peut s'empêcher de regarder, en dépit de la peur. Ou justement parce qu'on a peur, car ils pourraient se briser. Alors oui, les garçonnets savent sauter, courir plus vite que les filles, ils aiment faire montre de leurs prouesses quand les filles, souvent, esquissent timidement les pas qu'on leur apprend. Mais un garçon courageux et bondissant n'est rien d'autre qu'un garçon. Alors qu'une fillette. Plus légère et souple, il faut simplement leur enseigner le cran !

"Avez-vous déjà vu Véra en compétition, camarade, Věra Čáslavská?" demande Béla au bureaucrate en charge de son dossier, qui l'interroge sur le bien-fondé d'une école réservée aux filles. Bien sûr! Tout le monde connaît la grande championne tchèque, même si, en cet été 1969, on se doute que le nouveau pouvoir tchèque ne l'autorisera plus jamais à concourir à l'étranger après les JO de Mexico l'année précédente, lorsqu'elle a délibérément tourné le dos au drapeau soviétique devant les médias internationaux, un scandale. Et voilà que le Hongrois – qui, se rappelle le fonctionnaire, semble avoir accès à un stock d'alcools étrangers inépuisable – se met à brailler à l'autre bout du fil : Moi, des Véras, je t'en ferai des champs entiers dans mon école, il n'y aura qu'à les cueillir! Franchement, camarade, tu imagines des garçons, le machin serré dans le justaucorps, au milieu de mes beaux champs de Véras? Laisse-moi tranquille avec tes mâles, va, quand je viendrai à Bucarest, on trinquera aux Véras !

## L'APPARITION

Pour cette première rentrée, il y a foule devant la nouvelle école. Les parents des sélectionnées et aussi les sceptiques, ils veulent le voir, ce Béla qui vient de s'installer à Oneşti avec sa femme. Béla. Un nom d'origine hongroise, de Transylvanie sûrement. On raconte qu'il a été champion du lancer de poids et boxeur, il joue également au rugby, il a fait partie de l'équipe nationale de hand-ball. Mais… Et la gymnastique ? s'inquiètent les parents. Oh, sa femme connaît la danse, l'anatomie et la diététique. Béla, lui, a tenté pendant deux ans de maîtriser les équilibres, tout ça s'achevant dans une chute qui a mis fin à ses schizophréniques illusions de légèreté. Mais il est franchement sympathique, ce géant moustachu qui soulève les gamines dans ses bras et prétend redonner vie à la gymnastique roumaine en sommeil depuis quelques années, il tape dans le dos des dubitatifs et crache par terre si on évoque les championnes soviétiques.

*

Ils ont promis des résultats à un sous-fifre en mal de whisky qui, d'une seule note zélée, peut fermer l'école. Pas de temps à perdre. Vingt et un jours durant, Béla et Márta testent les gamines. Elles pensent jouer alors qu'on organise des courses entre elles pour évaluer leur rapidité. Certaines commencent au bout d'une semaine à peine à marcher sur les mains, la deuxième semaine, on leur parle de faire un pont avec le dos et de lancer leur pied à la lune. On leur tient la main quand, pour la première fois, elles avancent précautionneusement sur les dix centimètres de large de la poutre. À la fin de la troisième semaine, Béla retient cinq noms à peine. Dont un suivi d'un point d'interrogation. Les autres ? Elles ont pleuré lors d'une chute. Elles se sont agrippées à lui, refusant de le lâcher. D'autres s'écroulent au sol en riant au milieu des séries de pompes, elles grimacent au moment où il estime leur souplesse en montant leur jambe devant elles, petit à petit. Ça n'est pas tant leur réticence qui fait qu'il les a éliminées. C'est qu'elles en fassent état sans complexes. Ce qu'il cherche se précise mais reste introuvable.

Jusqu'à cette fin de matinée, dans la cour de l'école primaire d'Oneşti. Des années plus tard, Béla a perfectionné le récit de leur rencontre, qu'il commence toujours ainsi : il a su dès qu'il l'a vue. Il pourrait ajouter qu'aussitôt vue, elle lui a échappé, disparue. Elle, cette brunette qui, un jeudi matin dans la cour, effectue une roue très convenable sur un muret. Elle a des couettes, se répète-t-il, tâchant de se souvenir d'un détail qui l'identifierait, alors que les enfants courent se remettre en rang deux par deux, la cloche a sonné. Mais toutes ont des couettes, il est 10 h 15, les chemisiers bleu ciel s'évadent vers l'obscurité des salles de cours, parmi elles, celle-là.

Il ouvre chaque porte, classe après classe, s'excusant de faire perdre du temps à l'institutrice, tente un : "Qui aime la gym ici ?", parfois un garçon lève la main vers lui. "Qui sait faire la roue ici ?" propose-t-il inlassablement, sentant se mêler à sa fatigue l'énervement de ne pas retrouver la gamine. Ravis que l'ordinaire s'interrompe, ils sont beaucoup à vouloir montrer au monsieur, la médiocrité ordinaire de leur mouvement émeut l'institutrice, lui se sent devenir mauvais, il quitte la salle tandis qu'une élève grassouillette retente une roue, inutile de s'attarder. C'est la dernière classe de l'étage (ou choisit-il, sept ans après, quand il raconte aux journalistes, de dire que c'est la dernière, un effet, voyez comme tout n'a tenu qu'à cet instant-là ?).

Encore une fois, il demande qui sait faire la roue et, au fond de la salle, des mains se tendent vers lui. Les couettes de la brune sont légèrement de travers, sans doute se sont-elles défaites au cours d'un jeu. "Vous deux, vous voulez me montrer ?" Elles se chuchotent quelque chose à l'oreille, et, jetant un regard vers la maîtresse pour s'assurer que, vraiment, elles ont bien le droit de se mettre la tête à l'envers en classe, se lèvent. À droite. À gauche. La brune ne lui jette pas un regard, tout à son exercice qu'elle recommence, encouragée par les applaudissements des enfants. Comaneci Nadia et Dumitriu Viorica. Autorisation des parents accordée en septembre 1969. Externes.

*Cette remarque de Béla concernant les gymnastes de l'époque, "elles avaient peur de se décoiffer", c'est le* contraire de ce dont ça a l'air, une blague misogyne, m'affirme Nadia quand nous discutons ce chapitre au téléphone.

"Elles avaient effectivement peur d'être pas assez « féminines », car la grâce et la tenue étaient ce que les juges favorisaient chez les filles. Transpirer était réservé à la gym masculine, les femmes, elles, ne devaient pas paraître trop sportives… Béla, lui, s'en fichait qu'on soit jolies, il élisait chaque semaine la plus casse-cou d'entre nous et aussi la plus rapide. On voulait toutes avoir la médaille… Il valorisait notre force, notre courage ou notre endurance, pas nos coiffures! Je crois qu'il a voulu travailler avec des filles très jeunes pour ça, parce qu'on n'avait pas eu le temps d'apprendre ces… règles."

1969

Un médecin examine les deux fillettes à leur admission, elles n'ont gardé qu'une culotte blanche, la fraîcheur du carrelage sous leurs pieds nus les fait gigoter, elles sautillent sur place, il faut les reprendre. On leur commande de tendre les bras en croix, on jauge leur envergure. Puis, on leur montre comment toucher le sol avec leurs mains. On mesure. Hanches plus étroites que leurs épaules. On leur explique comment tourner sur elles-mêmes le plus vite possible et se diriger vers un point indiqué dans la salle pour juger de leur orientation dans l'espace. On palpe. Tandis qu'elles sont accrochées aux espaliers, on monte leur jambe devant elles jusqu'à ce qu'elles froncent le nez.

Elles sont très peu celles qui gardent les yeux fixés sur une ligne invisible, le visage crispé lorsqu'on force un peu. Certaines plient le genou pour échapper à l'inconfort du muscle étiré trop loin ou gigotent. Et elle? Elle a du cran, inscrit-il dans son journal, c'est ça, mais elle n'a rien d'extraordinaire. Elle ne geint pas quand il s'assoit – en prenant garde à ne pas peser de tout son poids, elle a sept ans – sur son dos pendant qu'elle tente un écart facial, ventre plaqué au sol. Elle court autour du gymnase en serrant les poings, s'immobilise dès qu'on la hèle, prend plaisir à répondre aux injonctions, à saluer, son buste cambré comme une parenthèse. Des semaines durant, elle presse Márta : "Madame le professeur, à Noël, on marchera sur la grande poutre ?", déçue d'apprendre à se déplacer sur cette ligne tracée à la craie au sol, puis sur une poutre très basse et entourée de matelas.

À l'issue des trois premiers mois, elles sont convoquées avec leurs parents. La mère de Nadia a rangé un mouchoir dans son sac pour la petite, elle espère que cette cérémonie (une formalité ? un jugement ?) ne s'éternisera pas, elle a rendez-vous avec deux clientes pour prendre leurs mesures, l'hiver arrive et les commandes reprennent, des manteaux dans le style "Paris", très demandés par les femmes d'Oneşti qui sortent de leur poche la page pliée d'un magazine de mode yougoslave.

Dans le gymnase, sur une musique enregistrée, elles marchent au pas, le menton relevé, toutes en justaucorps bleu, celui de Nadia est trop large pour elle. Après le discours du maire se félicitant d'avoir accueilli l'école expérimentale qui formera l'élite des gymnastes socialistes, Márta appelle quinze filles par leur nom de famille. Elle serre la main des perdantes avant que celles-ci n'aillent se jeter dans les bras de leurs mères en sanglotant. Les cinq élues se congratulent joyeusement, le soleil trace une ligne fugace par la fenêtre du fond de la salle sur leurs cuisses d'une pâleur crayeuse.

Tard dans la soirée, elle s'endort enfin (on a fêté ça, Nadia a montré dans le salon comment elle marche sur ses mains avant de renverser une lampe), elle serre contre sa joue son justaucorps roulé en boule sur l'oreiller.

1970

On aimerait dire que tout se profile clairement, on aimerait suivre, émerveillé, l'évidente trajectoire d'une fillette magique. Mais il y a ce 23 juin 1970, sa première participation à une compétition nationale.

Nadia s'avance, figurine martiale de huit ans et demi, elle salue les juges, signifiant qu'elle est prête.

Elle est sur la poutre. Marchande son équilibre avec la pesanteur. Les dernières recommandations de Márta ("Montre-leur à tous!") forment des rubans dans sa tête qui ralentissent ses gestes. Elle a rêvé de ça si souvent. La salle s'est faite silencieuse, on entend le crissement sec de ses plantes de pieds, la magnésie contre le bois à chacune de ses pirouettes. Et ce sont les petites assises sur le banc, celles qui ont déjà concouru, qui, les premières, crient, un chœur de malheur antique, et elles provoquent le "Ooooh" du public au moment où Nadia tombe à la droite de la poutre.

Le regard sérieux, elle s'aide des deux mains comme à l'entraînement et remonte sur l'appareil. À peine a-t-elle tenté le saut honni qu'elle retombe, à gauche cette fois. Béla se précipite – viens vers papa, ma chérie, viens – pour aider la petite la plus petite de l'école, celle qui jamais ne se fatigue et elle continue ses exercices bien après son rituel "On arrête pour ce soir !"

Et c'est ça que Béla racontera des centaines de fois, vingt ans durant : elle a retenté ce saut comme si elle devait biffer l'image même de sa chute, les joues rouges comme sous l'effet d'une suite d'insultes horribles. Et elle chute de nouveau. La minuscule enfant se hisse pour la quatrième fois sur la poutre trop haute pour elle. On sourit, on prend pitié de ce visage crispé. Ses mains battent l'air, son torse emplit à peine le bleu ciel du maillot. Mais le silence qu'elle rétablit dans ce gymnase de province. Son acharnement à s'emparer des quelques dixièmes de points qu'on lui accordera si elle continue. L'orgueil, l'arrogance de son regard plus intense encore qu'au début de l'exercice. Maintenant, elle cabriole à pas sûrs, précis. Les rires se sont tus. Elle vient en personne arracher, effacer de leur mémoire ce dont elle ne semble pas se souvenir elle-même. Et la seule chose qu'elle omet, après sa sortie parfaitement exécutée, c'est de saluer les juges.

Sur le banc, Viorica et Dorina pleurent, persuadées que la contre-performance de Nadia va leur coûter la première place par équipe. Nadia, sourcils froncés, ne parle à personne. Et quand une de ses coéquipières avance la main vers une de ses couettes de travers, Nadia se lève brusquement et s'éloigne en attendant ses notes. C'est un pauvre 6,20 mais Béla lève les bras comme un boxeur à la fin d'un combat. Si Nadia avait eu 6, leurs concurrentes de la ville d'Oradea auraient gagné, mais ce 0,20 fait toute la différence.

Parfois, dans un coin du gymnase, Nadia, pied pointé, buste cambré, se lance dans un équilibre plutôt bien effectué ; se tenir sur les mains, elle maîtrise ça depuis ses sept ans. Mais il faudrait être proche d'elle pour voir ses poignets qui tremblent et l'entendre compter, la tête à l'envers, l'abdomen durci, le souffle bloqué pour tenir un peu plus longtemps. Ces premières années, c'est son organisme qu'elle construit méticuleusement, s'assurant de l'efficacité des jointures et des détails avant utilisation. Si on la réprimande, elle écoute, une ingénieure soucieuse de corriger les défauts de l'installation, sérieuse jusqu'à en paraître terne.

Après les chutes de Nadia à la poutre, Márta a crié. L'humiliation de cette clownerie ridicule devant tout le monde, la merdeuse s'est défaite, on sentait sa peur jusque dans les gradins. Les mots de Márta l'ont débordée sous le coup de la colère. Dans le train du retour, contrite, elle s'est penchée sur Nadia endormie, repoussant de la main les cheveux qui tombaient sur ses yeux, il faisait si chaud cet été-là. Alors, dans son sommeil, l'enfant a sursauté et s'est détournée en se recroquevillant, comme frôlée par une bête.

COUPE JUNIOR DE L'AMITIÉ

*Mai 1972*

Les petites d'Oneşti montent sur le podium toutes les six à la deuxième place, une médaille d'argent autour du cou. Sur la photo, les Tchèques, les Allemandes de l'Est ou les Soviétiques pèsent en moyenne vingt kilos de plus que les Roumaines, des soldates-orchidées dont Béla a orné les cheveux de gros rubans rouges, les osselets de leur colonne vertébrale apparents sous le justaucorps bleu ciel. Ludmila Tourischeva, la championne d'URSS, a dix-huit ans. La presse russe mentionne une "polémique sur l'âge des compétitrices" ; sous une photo de Béla, il est écrit que "le Roumain" ne savait pas que les autres seraient des jeunes adultes.

*

Quelques jours après leur retour en Roumanie, Béla et Márta convoquent Nadia dans leur bureau situé au-dessus du gymnase. Parfois, Béla craint qu'elle ne soit malade, cette pâleur silencieuse, ce regard fixe que contredit l'acharnement de ce corps minuscule à sans cesse décortiquer la difficulté de l'exercice jusqu'à sa digestion totale. Anaconda d'un risque dont on ne la nourrit jamais assez.

Márta et lui en ont vu, de celles-là qui lapent à toute vitesse ce qu'on leur montre sans respirer, et laissent leurs membres réciter les difficultés. Ces mêmes, qui, quelques semaines plus tard, attendent qu'on leur caresse les cheveux, qu'on les complimente, ou qu'à la fin de l'entraînement on devise avec leurs parents d'un avenir national, sûrement. Márta sait que de ce fouillis sentimental on ne tirera rien. Il faudrait trop d'attention, d'encouragements, de cajoleries pour obtenir ce qu'on veut, un temps spécial à consacrer à ces "sensibles", ce mot qu'elle marque au crayon dans son carnet devant un nom souligné en rouge : sensible, diagnostic définitif. Nadia, elle, ne cille pas, même lorsqu'ils élèvent la voix. On ne l'entend pas. On ne la remarque pas. Elle est comme absente aux heures sans mouvement.

En progrès, Nadia. Tu n'es pas tombée, deux médailles d'or, c'est bien ma chérie. Mais. C'est fragile, il faudra travailler plus que les autres.

Le soir, au dîner, elle repousse son assiette et demande à sa mère l'autorisation d'aller se coucher. Sur son lit, allongée sur le dos, ses larmes s'évadent vers l'oreiller, ponctuation silencieuse à ce qu'elle chuchote : "Saut en parachute, pa-ra-chu-te" avant de s'endormir sur l'image que lui a donnée Béla pour décrire comment approcher les réceptions des sauts qu'elle redoute encore sur la poutre.

*"Ma première année à l'internat, Márta m'a dit un soir : Ferme les yeux, imagine que tes jambes sont des*

*pinceaux, et dessine sans arrêter le trait, ne fais pas de ratures surtout! Le lendemain, très angoissée, je m'inquiète : Madame le professeur, je suis tombée hier dans mon rêve. Et Márta m'a félicitée : Tombe chérie, comme ça, ça sera fait, on n'en parlera plus. Vous pouvez trouver une place dans le chapitre pour ça s'il vous plaît?"*

OCTOBRE 1974

Elle appelle ses parents de Varna où se déroulent les Championnats du monde. Elle ne peut participer car elle est trop jeune. Se plaint de tout au téléphone, du voyage, du temps, de Béla, du gymnase et même son frère cadet lui manque, elle qui n'y prête aucune attention quand elle est à la maison. Elle raccroche, promettant d'aller au lit pour ne pas rater son train le lendemain matin.

Elle aura treize ans en novembre. Parfois, à cette enfant, Gheorghe et Stefania ne savent pas trop comment parler. Que répondre à celle qui leur crache, rageuse, qu'elle est "hors programme", comme une maladie honteuse. Ils assistent rarement à un entraînement. Ont vu une seule compétition. Ils ignorent qu'un journaliste français, le matin même à Varna, ébloui par la démonstration "hors programme" de l'équipe de Roumanie, a demandé à rencontrer Béla, mais aucun interprète n'étant disponible, il ne peut, finalement, inviter l'entraîneur à l'émission, cette émission télévisée qu'il commence ainsi : "J'ai vu une petite Roumaine qui, si tout va bien, sera certainement une des plus grandes gymnastes au monde."

*"Vous saviez, à l'époque, que vous étiez une des meilleures?*

*— Non… J'entendais des rumeurs, on disait qu'il y avait une fille, dans l'équipe, qui était très bonne. Mais je ne savais pas que c'était moi."*

*Au moment où je découvre dans un article d'archives l'histoire du gala parisien, j'ai du mal à y croire tellement tout, dans cette anecdote, me semble déjà réécrit pour la légende, scénarisé : l'erreur aberrante de la Fédération française qui invite une partie de l'équipe roumaine à un gala prestigieux, mais qui, en découvrant le jeune âge des gymnastes d'Oneşti sur les photocopies de leurs passeports, les envoie finalement à une démonstration de juniors débutantes.*

*Nadia, au téléphone, me confirme chaque détail de l'épopée. Je sens qu'elle est encore amusée par leur aventure et qu'elle s'attend à ce que je le sois aussi. Quelques jours après notre conversation, comme je ne réussis pas à écrire cet épisode avec l'humour qu'elle souhaiterait y trouver, je la recontacte et lui avoue que l'injonction de Károlyi à Nadia de se lancer dans une suite de figures extrêmement dangereuses pour impressionner le public parisien, sans qu'elle ait pu se préparer, me met mal à l'aise.*

*"… Écoutez, j'adorais ce saut précisément parce qu'il était dangereux, je voulais le faire tout le temps. On n'avait pas besoin de me pousser.*

*— … Sans échauffement ? C'était terriblement risqué !*

*— … Pour moi, cet épisode montre surtout à quel point la France faisait peu de cas de la Roumanie. Vous pouvez m'envoyer vos pages aujourd'hui ? Je vous rappellerai demain. Merci. "*

## MAIS QUEL ÂGE A-T-ELLE ?

Il faut se rendre à l'évidence, les Français n'ont envoyé personne pour les accueillir à l'aéroport. Béla et les petites sont plantés dans le hall d'Orly depuis près d'une heure, il ne parle ni français ni anglais et ne comprend aucune des annonces faites par les hôtesses au micro. Il n'a qu'une adresse sur un bout de papier et le gala va bientôt commencer.

Le taxi, selon Dorina, emprunte des routes qui "n'ont pas vraiment l'air d'être Paris" et ce gymnase de banlieue devant lequel ils s'arrêtent est situé dans une rue déserte. On les accueille gentiment, une femme en tailleur bleu marine propose un jus d'orange et tend aux fillettes une assiette de biscuits que Béla repousse, médusé. Des biscuits à des sportives ! On les conduit dans un vestiaire puant de mégots écrasés. Lorsqu'elle aperçoit les petites prêtes à évoluer, en maillot blanc, leurs cheveux tirés en couettes nouées de rubans rouges, l'hôtesse se penche vers Nadia et elle se met à piailler comme devant un chaton irrésistible. Dans la salle, sur une musique préenregistrée, des adolescentes replètes tentent des roues malhabiles devant les parents attendris qui tapent dans leurs mains à contretemps du rythme.

Béla a dû se tromper de gymnase, de date, Dieu qu'on lui confirme que c'est une erreur, un atroce malentendu, il hèle un type en survêtement, pointe ces Françaises dont les cuisses trop grasses frottent l'une contre l'autre quand elles courent comme des canards aveugles vers le saut de cheval, puis désigne Nadia et Dorina, "Elles, vraies championnes", répète-t-il. Le Français tapote la tête de Nadia : "Oui oui, plus tard championnes, sûrement, elles sont marrantes avec leurs couettes."

Elles sont sur le point de faire leur entrée quand Béla, il a enfin trouvé une interprète, réalise que la Fédération française de gymnastique les a dirigées sur une démonstration d'amateurs et pas sur l'événement prévu. La colère lui fouette l'intérieur du ventre : cette capitale bouffie d'ignorance, aux rues sales et aux enfants empâtés, en France, à douze ans, on ne sait rien faire ! Ce pays qui tend une assiette en carton remplie de biscuits industriels ramollis à ses écureuils prodigieux, ce dédain !

Il est en nage, il a fallu courir pour attraper un taxi, mais Béla a fini par obtenir l'adresse de la démonstration officielle et il a su convaincre l'interprète de les accompagner. Les petites, elles, sont ravies, la journée est grandiose, elles ont gardé leur justaucorps sous leur survêtement.

"Non, non, ici, pas d'enfants, que des gym-nastes de très haut niveau." Les deux vigiles barrent l'entrée du palais des Sports. L'interprète insiste, elle leur désigne Nadia : "Championne !", ils ricanent. Béla leur sourit poliment et ordonne aux petites de se tenir prêtes. Il s'avance, se met à sautiller lourdement devant eux, boxeur pris de boisson, il agite les bras dans tous les sens, elles n'ont qu'à se baisser pour passer et courir vers la salle. Poursuivi par les vigiles, Béla court lui aussi à travers des couloirs sombres sans cesser d'encourager Nadia devant lui, vas-y vas-y, tout droit, elle fonce, dépasse des pompiers abasourdis, suivie de Dorina.

Derrière la porte battante qu'elle pousse enfin, l'immense salle moite résonne de flashs, d'ovations et de tangos : Ludmila vient de terminer son exercice au sol. Nadia ôte son pantalon de survêtement le plus rapidement possible, peut-être que c'est son tour bientôt et elle doit s'échauffer. Elle commence à peine mais Béla surgit retenu par un vigile, cramoisi, il lui crie de se lancer, elle proteste mais il gesticule vers elle, les sourcils froncés : "Maintenant!"

Elle n'a pas été annoncée. Elle n'a pas de dossard. Elle n'a pas eu le temps d'assouplir ses articulations. Et vers quoi se diriger ? Les barres ? La poutre ? Non, impossible, une gymnaste est en train d'évoluer dessus. Le seul agrès libre est le saut de cheval.

Elle pose un pied timide sur le plateau, juges et photographes lui tournent le dos, tous se concentrent sur une jeune Allemande qui vient de faire son entrée. Devant Nadia, le saut de cheval, tout proche. Le tremplin d'appel posé devant s'est légèrement déporté sur la droite sous le poids de la dernière gymnaste, Nadia n'a personne pour l'aider à le replacer. L'Allemande salue les juges. Nadia jette un œil vers Béla cerné de policiers. Il l'encourage, hurle : "Allez bébé, tue-les! Balance le Tsukahara!"

Murmures perplexes, rires dans la salle : l'Allemande a fait quelques pas en arrière, déstabilisée par l'enfant qui vient de se placer juste devant elle et de saluer les juges. Elle inspire profondément mais déjà, un officiel s'avance, lui fait signe de déguerpir. Pas le temps. Courir. Courir le plus fort possible, accumuler la puissance de la vitesse, 24 km/h, elle bondit à pieds joints sur le tremplin et ses mains entrent en contact brutal avec le cuir de l'appareil, une force de 180 à 270 kg/cm², renversement arrière, le ligament de son poignet gauche mal préparé s'étire violemment, elle se propulse, tendue dans un demi-tour en l'air carpé, il faut il faut il faut il faut. Elle ferme à peine les yeux sous le choc, son arrivée est parfaite et les spectateurs soulèvent l'air de leur enthousiasme, spontanément, ils se dressent. Stupéfaite, la juge principale reste un instant sans réagir. Ce corps fluet, acéré. Un saut que seuls les hommes exécutent. À peine le temps de se concerter avec les autres juges qu'un type immense surgit à ses côtés, maintenu par deux vigiles et suivi de l'entraîneur soviétique hurlant au scandale.

"Madame la juge, l'homme souffle fort, il sent la lavande et la transpiration, il tient ses mains jointes, haletant, le visage congestionné, madame, je vous en supplie, que Dieu vous prête une très longue vie, annoncez-la, dites son nom. Je vous en prie."

L'interprète tente de calmer un des organisateurs en costume bleu sombre, qui, furieux, marmonne : "On n'est pas au jardin d'enfants ici" en cherchant la gamine des yeux, mais elle s'est volatilisée et tous, dans les gradins, frappent dans leurs mains, acclament l'absente. Qui resurgit d'on ne sait où, lutin blanc bondissant sur la poutre, grillant le passage d'une Soviétique éberluée.

Et lui, est-ce son père ? Un oncle ? Cet individu que les vigiles ceinturent avec peine car il ne cesse de se débattre, mais Béla ne lâche pas la main de la juge, il la porte même à son cœur, essoufflé, tout en la suppliant encore. Annoncez. Son. Nom. Madame. Son nom. Mais quel âge a-t-elle, lui demande la juge. Et ce chiffre, ce douze, lui donne un frisson, viennent-ils de voir une gamine de douze ans?

Ce qu'elle accomplit, ce jour-là, personne ne sera capable de le raconter, ne restent que les limites des mots qu'on connaît pour décrire ce qu'on n'a jamais imaginé.

Est-ce qu'on peut dire qu'elle prend le temps. Ou qu'elle s'empare de l'air. Ou qu'elle intime au mouvement de se plier à elle. En cette fin d'après-midi, les organisateurs de la démonstration à bout de nerfs se résignent finalement à laisser Dorina et Nadia évoluer au sol officiellement. On croit voir l'aiguille d'une montre géante, un curseur, se déplacer, et déclarer obsolètes ces esquisses de courbes mal contenues par le justaucorps serré sur la poitrine à venir des jeunes femmes présentes.

## CONTRAT D'INSOUMISSION

Tandis qu'ils attendent leur avion dans l'aéroport d'Orly, Béla observe les petites. Bouche bée, comme alourdies de nouveautés, ce bombardement de propositions : un tee-shirt Donald sur une adolescente qui passe, la bouche carmin scintillante et entrouverte d'un mannequin Rosy sur une affiche, des bonbons translucides vert tendre goût "granny smith!" en promotion, un jean brodé de fleurs sur un jeune homme.

À Montrouge, où se trouvait leur hôtel, elles l'ont entraîné dans un magasin et chacun des rayons du Prisunic a été méthodiquement parcouru. Les dizaines de marques de lessives – elles s'arrêtent devant celles qui promettent un jouet à l'intérieur –, les éponges bicolores, professeur, celle-là est si jolie! Les cahiers aux couvertures vives et glacées, les paquets de biscottes, elles hochent la tête aux explications de Béla et tentent d'imaginer le goût d'un pain sec et rétréci. Et ces drôles de boîtes agrémentées d'un carré transparent, regardez regardez! On voit les pâtes au travers! Professeur, est-ce qu'on peut avoir la boîte seulement, elle est si belle! Il finit par leur offrir à chacune une piécette à glisser dans le distributeur rouge à poignée argent situé à la sortie du magasin. Ces grosses boules orange, vertes, jaunes, des billes? Oh, elles voudraient la rose, celle-là. Nous comprenons, madame, murmurent-elles respectueusement à la vendeuse qui les prévient qu'elles ne pourront pas choisir le chewing-gum qui sortira au hasard. Les rideaux en velours rouge de la cabine du Photomaton les émerveillent, tout est automatique, ici, s'enthousiasment-elles, c'est si moderne !

Il tarde à Béla de les remettre à leur vie, celle qu'il leur invente depuis qu'elles ont six ans. Ces étages d'horaires, d'aliments immuables, de gestes et d'odeurs. Et leur soumission tranquille à toutes les restrictions parce qu'elles savent que chaque poussière d'envie, chaque déviation possible, un samedi à flâner, à jouer dans la chambre, un goûter trop copieux, chacun de ces virages penche vers une autre vie, celle des enfants ordinaires, sans but ni avenir.

*Nadia C. ne fait aucune remarque mais le lendemain, lorsque je lui demande comment elle explique l'obéissance absolue des gymnastes, elle paraît gênée par ce mot, obéissance : "C'est un contrat qu'on passe avec soi-même, pas une soumission à un entraîneur. Moi, c'étaient les autres filles, celles qui n'étaient pas gymnastes, que je trouvais obéissantes. Elles devenaient comme leur mère, comme toutes les autres. Pas nous." Puis elle me raconte ce qui suit. Je trouve le passage anecdotique, elle insiste pour que je l'intègre au récit : "Ça répond à votre question."*

Elles sont internes depuis trois mois, même Nadia qui habite à Oneşti, car gagner le temps des allées et venues n'est pas négligeable. Il est 23 heures passées, elles jouent dans le dortoir. Quand elles entendent Béla approcher, elles éteignent précipitamment et font semblant de dormir. Il entre, rallume. Vous avez dû vous tromper, notre lumière est éteinte, monsieur le professeur – les voilà qui ne peuvent plus s'arrêter de rire sous leur couverture, excitées par leur complicité fugace.

"Vous n'avez pas sommeil ? Il faut vous fatiguer un peu afin que vous puissiez bien dormir ! fait-il. Allez !" Il ne leur laisse pas le temps de se rhabiller – debout, debout – les voilà pieds nus dans leurs baskets, hilares à l'idée de cette journée de nuit, les lacets défaits, en pyjama, dans la cour de l'école. Il tape dans ses mains comme chaque matin, elles courent en cercle pour s'échauffer. Elles rient en se montrant du doigt, dépenaillées, leur pantalon de coton glisse, elles le remontent à deux mains, Béla enchaîne : "Les sauts ! Allez !" Il les ramène au dortoir à minuit passé, toujours souriant.

Le lendemain matin, le réveil sonne à 5 heures. La tête lourde et les mollets raidis par un entraînement bâclé sans étirements, sans avoir pu boire l'eau nécessaire, elles se succèdent aux barres, à la poutre. La fatigue fait remonter le cœur dans la gorge. Cette chose qu'on croyait réglée et qui resurgit brusquement au moment d'empoigner les barres, ces images interdites, genou tordu, ligaments déchirés, le bruit des os contre la poutre, crâne, vertèbres, la terreur leur assèche la bouche. À la tombée de la nuit, elles éteignent la lumière sans se parler, douloureusement acculées à un corps malmené et rétif.

## LAVER SES DOUTES

Parfois, Stefania la regarde jouer dehors, courir avec son frère, et ces instants normaux ne vont pas à Nadia, un déguisement d'enfance sur une machinerie rare. Nadia est toujours à l'heure. Débarrasse la table. Lave ses culottes elle-même lors de ses déplacements et les rapporte propres. N'a pas prononcé de mots d'enfant, de ceux qu'on rapporte, ravie, à son mari. Même le fait que Nadia décide elle-même d'être pensionnaire (le moins de pas possible, le moins de gestes en dehors de ceux-là qu'elle rate en rêve, uniquement en rêve) est une décision raisonnable.

Le dimanche, elle exige qu'on lui "tire" les muscles : elle s'agrippe à la commode du salon et Stefania monte la jambe de sa fille par à-coups, "Je ne te fais pas mal ?", alors la petite, impatiemment, commande qu'elle place cette foutue jambe devant son nez. Nadia a treize ans, l'air d'en avoir dix, et bientôt tout ça ne l'intéressera plus, mais au moins, affirme son père, les exercices lui renforcent le dos et le caractère.

L'autre jour, un photographe de la *Scînteia*, le quotidien national, est venu photographier ses médailles pour un reportage. Il a cherché le meilleur angle un long moment avant que Stefania ne propose de les sortir toutes et de les étaler sur un beau tissu de velours rouge. Lorsqu'elle a voulu savoir ce qu'il écrirait dans son article, il l'a corrigée, ce ne seront que quelques lignes sous une photo des médailles : "Il n'y a pas grand-chose à dire de pisseuses qui ne connaissent rien de la vie!" Elle a acquiescé, soulagée.

*

Cette sage fillette. Qui prend le train pour Bucarest en compagnie de Márta pour se rendre, à l'invitation du Parti, à une cérémonie où, pour la première fois, elle voit de près celui qui ressemble davantage à un roi de cinéma qu'à un camarade. Nadia représente l'équipe et porte un pantalon et une veste confectionnés par sa mère, bleu cobalt orné d'un liseré rouge au niveau des poignets.

La salle, plus vaste que le gymnase d'Oneşti, est remplie d'adultes qui applaudissent bien mieux que le public des compétitions. Parfaitement synchrones, aucun son de leurs mains ne s'égare. Le Camarade, lui, a l'air plus vieux que sur les portraits accrochés partout dans la ville, et sa femme, Elena, lui rappelle sa prof de maths, chignon grisonnant tiré très haut sur la tête et silhouette épaisse à la taille. Les discours se succèdent. Puis, une fillette blonde en costume traditionnel, chemisier brodé et jupe rouge et blanche, s'approche du micro.

Jusque-là, les mots pour Nadia ont été des outils, pratiques pour demander, obtenir ou remercier. Et voilà que les mots virevoltent, légers, des sons vaporeux sortent de la bouche de l'enfant blonde, bandeaux de nuages, cieux triomphants et astres compétitifs, champs solidaires et tout cela dessine son pays, la Roumanie, que la petite fille récite, cette enfant aux yeux merveilleusement bleus. On voudrait laver ses doutes à la lumière de cet être uniformément clair, peau, cheveux et voix barbe à papa. Devant tant d'éclat, Nadia se sent foncée : ses cheveux d'un châtain terne et sa peau bistre, Oneşti aux rues salies des émanations de l'usine, dans aucun parc on ne trouve des fleurs comme celle que l'élue offre à la Camarade Elena.

C'est à elle. Márta la pousse en avant. Confuse, Nadia se lève et marche vers la tribune. Faut-il les saluer ? Sont-ils des juges qui vont la noter ? Ou des spectateurs à séduire ? Elle trébuche sur la marche, un militaire vérifie le micro pour elle. Et tout prend forme. Les séries d'abdominaux au réveil, quand personne, pas même ses parents, n'est éveillé dans la ville, les chutes, les entorses, la magnésie âcre qu'elle sent jusque dans sa gorge en se couchant, tout le bâti de ce rêve qu'ils célèbrent aujourd'hui ensemble et auquel elle a envie de participer beaucoup plus encore, oh elle voudrait en être la proue, même si elle ne sait pas réciter des mots comme la fille transparente. Et ça lui coupe le souffle, monte de son ventre, la même sensation que ces millisecondes où, lors d'un saut périlleux, son corps la stupéfie et retrouve le sol tout seul. La salle est debout et l'applaudit, de vieilles personnes sérieuses répètent RO-MA-NI-A de toutes leurs forces, elle se tourne vers Lui, comment l'appeler, c'est Lui, c'est tout, il s'est levé de son siège de roi, il vient vers elle, ses yeux sont plus enfoncés que sur les portraits et on dirait qu'il va pleurer, elle n'a jamais vu d'homme pleurer. Lui murmure-t-il de s'avancer ou est-ce ce qu'elle comprend, il l'embrasse sur le front, elle s'engage à obtenir pour l'équipe d'Oneşti les "meilleurs résultats possibles". En ce début d'année 1975, les chants montent de chacun des sourires de la salle, forts, ils scandent l'avenir.

*

Béla écoute Nadia lui raconter Bucarest. Bravo chérie, beau ramassis de conneries, tes promesses au Vieux et ces poèmes. Comment pourrait-elle gagner quoi que ce soit, quand lui vient de recevoir la lettre de refus de la Fédération roumaine. Aucune gymnaste d'Oneşti n'a été choisie pour aller aux Championnats d'Europe en Norvège. Celles qui représenteront la Roumanie viennent toutes du club Dinamo de Bucarest. Là où le gymnase est neuf, là où les jeunes entraîneurs obéissants rédigent, chaque soir, des rapports détaillés sur tout ce qui pourrait intéresser la Securitate : les filles qu'ils entraînent, les parents des filles qu'ils entraînent, les blagues qu'elles échangent dans les vestiaires. Tout ceci contribue à la Grande Construction du Camarade. Mais lui, Béla. Qu'est-ce qu'il apporte ? Du whisky, du café, des jambons, des chocolats d'Autriche passés clandestinement par la frontière hongroise, des cadeaux de paysan. Et qu'obtient-il en échange ? Rien. Alors que ses écureuils gagnent presque toutes les compétitions depuis un an et qu'elles écraseront les Soviétiques bientôt, il le sait : parce que Olga se met peut-être debout sur la barre asymétrique et oui, elle réussit à enchaîner deux périlleux sur la poutre, n'empêche que la gamine reste hasardeuse. Elle pleurniche, elle tremble. Rien de tout ça chez Nadia. Nadia du lundi ressemble à Nadia du jeudi ressemble à Nadia du matin ressemble à Nadia du soir. Alors que veulent-ils de plus ? Que faut-il encore améliorer ? Même les parents de Nadia sont exemplaires. Discrets. Ils ne font pas de politique. Des Roumains dont on peut se prévaloir, solides, comme ses propres grands-parents, une éternité de fiabilité modeste.

Béla est parti à Bucarest sans rendez-vous, il a demandé à rencontrer le type du ministère des Sports. Sans succès. Il est revenu à Oneşti, personne ne peut le remplacer aux entraînements, puis il est reparti à la capitale pour une nouvelle tentative ; rien n'y a fait, on ne l'a pas reçu. Au téléphone, il a imploré un fonctionnaire qu'on trouve une solution, sans toutefois contredire cette "excellente décision nationale", mais par pitié, qu'on rajoute une gymnaste à l'équipe, une seule des siennes ! Il peut difficilement se vanter de son triomphe parisien car l'aventure a déplu, racontée en détail aux responsables de la Fédération par l'interprète parisienne, une jeune recrue de la Securitate. Les Français se sont plaints. À leur façon, bien sûr, poliment, s'étonnant de "la prestation-surprise de ces merveilleuses fillettes roumaines qui n'étaient pas au programme".

Camarade professeur, lui dit celui qui finit par le recevoir à Bucarest, vos filles ont le temps, elles ont à peine treize ans ! Quelle bonne blague, s'esclaffe-t-il à son collègue dès lors que Béla quitte son bureau, le Hongrois s'imagine que notre pays moderne et en pleine expansion pourrait être représenté par ses paysannes naines venues d'une ville d'attardés du trou du cul de l'Est du pays !

Y a-t-il un autre rendez-vous qu'il garde secret? Ou Béla a-t-il finalement davantage d'amis bien placés qu'il ne veut le dire? Trouve-t-il de meilleurs cadeaux? Promet-il une médaille d'or, un titre? Une semaine plus tard, on lui accorde finalement la permission d'ajouter une fille de son équipe à l'équipe nationale roumaine. Ça sera donc trois de Dinamo et une d'Onești.

## TROP VIEILLE POUR ÊTRE JEUNE

À vingt-cinq secondes de son évolution sur la poutre à Skien, Norvège, ses poignets ondulent contre l'air qu'on dirait épais, les pieds joints sur les dix centimètres du bois, un incongru mouvement de hanches à droite et à gauche, une petite fille mimant un rock appliqué, Nadia tend ses mains devant elle et sans les poser sur la poutre dessine un grand compas rapide avec ses jambes, le nœud blanc qui retient sa queue de cheval en point de repère : "Vous êtes ici." Elle monte si haut lorsqu'elle imprime un mouvement de balancier à son corps que certains ne parviennent pas à regarder l'exercice des barres asymétriques jusqu'au bout, terrorisés que les bras fluets ne cèdent et qu'elle tombe. Sait-elle, réalise-t-elle qu'elle risque de se briser le cou, demandent, inquiets, les journalistes aux juges éblouis. En survêtement rouge sur la deuxième marche du podium, Ludmila Tourischeva regarde l'enfant qu'on sacre plus jeune championne d'Europe saluer le public. Les traits de son visage semblent tirés, une douce amertume triste dans son sourire. Fanée.

*J'écris à Nadia C. ceci : "Votre avènement est un spectacle dont la mise en scène parfaite s'appuie sur des accessoires bicolores, le blanc et le rouge. Le blanc du justaucorps virginal. Le blanc de la magnésie, des paumes de mains jusqu'aux cuisses. La pâleur androgyne, enfin, des fillettes gymnastes avant qu'on ne choisisse, au début des années 1990, de les recolorer de fards et d'eye-liner pailleté, plus vendeurs. Et le rouge. Celui du communisme et de ses drapeaux, bien entendu. Mais surtout, le rouge satin des nœuds démesurés dont les entraîneurs affublaient vos cheveux, cet accessoire garant d'enfance dans un monde où vous étiez toujours « trop vieilles pour être jeunes »."*

## SI ÇA NE SAIGNE PAS

Championne d'Europe! La nouvelle est tellement surprenante qu'on ne trouve aucune photo pour illustrer l'article qui paraît le matin de son retour à Bucarest. À l'aéroport, ils l'attendent, encombrés d'œillets rouges, celle qui vient de détrôner les Soviétiques. Une jeune femme sort enfin de l'avion, elle porte le survêtement bleu marine. C'est Na-di-a! Elle est si belle! Mais c'est étrange, un moustachu immense lui tend des sacs en plastique à porter et tient une gamine par l'épaule, sa fille sans doute. Où est notre grande athlète, s'enquiert un officiel, cherchant la silhouette d'une puissante sportive. Alors, Nadia s'avance vers eux, ses médailles forment un étrange collier tribal, une armure dorée à sa poitrine étroite, et presque au ralenti, les photographes s'agenouillent pour se mettre à la hauteur du visage pâle de l'enfant.

Nadia serre les mains. Un représentant du Parti la remercie au nom du pays tout entier d'avoir tenu sa parole, de les avoir obtenus, ces bons résultats qu'elle avait promis au camarade Ceauşescu.

Tout ce qui se déroule ensuite pendant l'année 1975 – on voudrait trafiquer l'histoire qu'on ne saurait pas vraiment quoi modifier –, cette ascension méticuleuse, exemplaire, Béla la vit comme une simple confirmation. Il avait raison. Nadia calme ses doutes, avance au-devant de ses craintes, elle s'exécute, ambassadrice de son rêve, sujet de l'expérimentation dont elle est la presque princesse. Presque. Car il faut maintenant convaincre les responsables de faire une place aux filles d'Oneşti dans la future équipe olympique.

*

Béla le jure, ses gamines vont détruire les Russes, tiens, il l'inscrit à l'encre et signe sur la nappe de papier du restaurant où il a invité trois membres de la Fédération : Camarades, si vous prenez mes petites, après Montréal, plus personne ne se souviendra des Soviétiques !

C'est qu'il les fait rire, ce gros lard, il est presque touchant quand il entonne l'hymne roumain, debout et en battant le rythme de la main comme s'il menait des troupes : "Aujourd'hui, le Parti nous unit et sur la terre roumaine le socialisme est bâti par l'élan des travailleurs pour l'honneur de la patrie, nous écrasons nos ennemis afin de vivre dignement sous le soleil parmi les autres peuples, en paix, en paaaaix."

Va pour une précompétition entre les deux équipes, on jugera sur pièces, consentent les responsables, amusés du spectacle donné par celui qu'ils continuent d'appeler le Hongrois.

*

L'été dans la capitale, l'odeur des tilleuls colle au béton. La chaleur s'accroche, des crocs brûlants, l'air semble se solidifier, stagnant et moite. Ici, dans ce vaste gymnase vitré, pas de vieux matelas au sol mais des tapis bleu électrique en mousse. Les entraîneurs du club Dinamo qui tiennent à ce que les filles les appellent "camarade coach" emmènent leurs gymnastes à Constanţa, au bord de la mer Noire, dès que la température dépasse trente-huit degrés. Les filles d'Oneşti, elles, se traînent jusqu'au lavabo entre les exercices, elles s'aspergent le visage à l'eau froide.

Est-ce Béla qui a proposé que la Fédération envoie quelqu'un ce jour-là? Ce général en charge des Sports qui entre dans le gymnase et fait signe à Béla de continuer l'entraînement tandis qu'il s'assoit? Il se réjouit, Béla. Ça ne pourrait pas être un meilleur moment que celui-là. Qu'importe que Luminiţa se plaigne d'une migraine (remonte sur la poutre, quand tu sautes, on t'entend jusqu'en Transylvanie, aussi gracieuse qu'une vache, tu peux perdre quelques grammes de sueur, va!), ou que Dorina s'effondre quatre fois de suite lors d'une tentative de double salto arrière. Le général se fatiguera vite de l'odeur de sueur mêlée à la magnésie qui assèche l'air plus encore. Il n'a rien à faire, Béla, simplement attendre que le militaire se lève, époussette son uniforme et vienne lui demander: "Où sont les gymnastes du club Dinamo, camarade professeur?" Il suffira de répondre innocemment qu'elles sont "à la plage, comme chaque fois qu'il fait un beau soleil". Le général sort furieux et convoque les deux équipes. Le lendemain, l'entraîneur du Dinamo se défend en invoquant le "repos nécessaire pour les jeunes filles par cette chaleur", Béla hausse les sourcils: "Hein? Repos? Le repos fait partie du programme olympique?" Le général le nomme directeur de l'équipe nationale et olympique, c'est lui qui choisira les gymnastes.

On y est. Tout doit être parfait. Il charge Márta de chercher un nouveau médecin de confiance, celui-là, de Bucarest, ne comprend rien à la gymnastique, il est impossible, avec ses moues précautionneuses et ses conseils paternalistes. Les écureuils rebondissent, s'étourdissent, leur dos plie sans résistance, si ça ne saigne pas, affirme Béla aux fillettes, ne t'en fais pas, ça n'est probablement rien de très sérieux.

# BIOMÉCANIQUE
# D'UNE FÉE COMMUNISTE

*15 novembre 1975*

*En 1975, la Commission nationale des visas et des passeports était un département de la Securitate dont le nom n'était qu'un leurre, puisqu'on n'y délivrait presque aucun passeport sauf à de hauts responsables du Parti. En réalité, cette commission servait surtout à repérer ceux qui souhaitaient quitter le pays et demandaient un visa, alors immédiatement renvoyés de leur travail et mis sous surveillance spéciale.*

*Pour sa tournée pré-olympique, l'équipe de gymnastique va d'Allemagne aux États-Unis, puis au Canada et même au Japon. Nadia, dès 1975, est-elle une simple citoyenne roumaine ou est-elle déjà devenue une parcelle de drapeau, une histoire en cours d'écriture, une arme nationale? Elle qui n'a pas le souvenir, me dit-elle, d'avoir appris les règles des compétitions auxquelles elle participe, comme si les systèmes de notation étaient nés en même temps qu'elle et sécurisaient ses avancées. De petites croix invisibles tracées sur sa route pour qu'elle puisse y poser les pieds.*

Il raccroche. S'assied sur son lit, bizarrement fatigué, presque hébété. Béla voudrait réécouter les mots prononcés par ce type de la Fédération qui vient de lui faire part du télégramme londonien. S'il avait mal compris. Il compose de nouveau le numéro de Bucarest.

"Excusez-moi, camarade Bălcescu… C'est : sportive de l'année ou gymnaste de l'année?" Gymnaste de l'année, ce qu'il a tout d'abord cru avoir entendu, c'est comme si on la félicitait du bout des lèvres, presque un succédané de titre attribué à une chichiteuse aux pas sucrés. Quelque chose qui omettrait la course d'élan à vingt-sept kilomètres à l'heure vers le saut de cheval mesurée la semaine précédente. Ce titre d'athlète de l'année, au lieu de l'encourager, l'inquiète. Comme une promesse sur un avenir qu'il n'est pas sûr de pouvoir tenir. Márta et lui ont créé la championne d'Europe, sans vraie recette. Il faut renforcer les possibles. S'ils réussissent à réduire chez Nadia la part d'inconnu, de hasard, ils iront forcément vers de meilleurs résultats encore.

Ce qu'elle porte à sa bouche est recalculé. Cent grammes de viande à midi et cinquante grammes le soir apportent environ quatre cents calories, des légumes aux repas, deux cents grammes chaque fois : cent vingt calories. Trois yaourts par jour : cent quatre-vingts. Et des fruits, peut-être trois : cent cinquante. Ni pain, ni féculents, ni sucre, évidemment. Penser à tracer un trait sur la bouteille d'huile qu'utilise Silvina, la cuisinière ; si elle dépasse les cinquante millilitres prévus par jour, tous les calculs seront faussés. Il a déjà eu de nombreuses discussions avec Silvina mais discuter n'est pas décider. Il prendra en main les menus lui-même.

Il redessine les journées. 6 heures-8 heures : entraînement. 8 heures-12 heures : école. 12 heures-13 heures : repas. 13 heures-14 heures : repos. 14 heures-16 heures : leçons. 16 heures-21 heures : entraînement. 21 heures-22 heures : dîner, leçons et coucher. Il change encore de médecin jusqu'à en trouver un qui ne conteste aucune de ses décisions. Le sang de l'enfant est disséqué, son souffle mesuré, l'urine transformée en formule biologique. Chaque matin avant l'entraînement, elle se soumet à des tests d'effort, enchaîne flexions et pompes. Il lui fabrique des abdos d'acier pour éviter qu'elle ne grimace au moment où ses hanches frappent de plein fouet la barre asymétrique, ses os à peine protégés par le tissu bleu. Il faut consolider sa puissance pour que la mécanique parvienne à faire face aux impromptus, une fatigue, un refroidissement. Il lit des traités de biologie, en souligne des passages, rencontre des entraîneurs d'athlétisme : que fais-tu, toi, pour qu'ils courent plus vite ? Je les fais courir plus, répond le type. Béla augmente donc les répétitions des enchaînements. Jusque-là, elles les effectuaient une dizaine de fois par jour puis on se concentrait sur les détails. Le nouveau chiffre est décidé de façon arbitraire : vingt-cinq fois le matin et vingt-cinq fois l'après-midi.

Les premiers mois, aucune d'entre elles n'a la force musculaire de recommencer plus de quinze fois à la suite cette minute trente de sauts périlleux, équilibres tenus et saltos. Elles souffrent de points de côté, leurs muscles tétanisés les font tituber d'une acrobatie à l'autre, des ivrognes haletantes. Toute la journée, il commande : refais. Recommence. Les poignets des petites en équilibre cèdent sous leur poids. Des crampes les tiennent éveillées la nuit, la faim les réveille de plus en plus tôt, à 4 heures du matin, il les entend chuchoter dans le dortoir. Au dîner, elles se nourrissent en silence, des gestes secs pour porter la fourchette à leur bouche. Leurs larmes changent, elles aussi : ce qu'elles pleurent, à chaque entraînement, c'est l'impossibilité d'aller plus loin, enragées comme devant une construction de tendons et de muscles qui cèdent avant elles.

Béla travaille l'enivrement, l'étourdissement. Autour des barres et de la poutre, il fait creuser une fosse remplie de gros morceaux d'une mousse épaisse. Il les encourage à courir se jeter dans la fosse. Chaque jour, il intègre une acrobatie supplémentaire dans leur course, jusqu'à ce qu'elles perdent totalement l'appréhension de la chute, leur dos arqué méprisant le sol. Et tout accélère, leurs voix se font plus aiguës, leurs sauts plus rapides, toute peur émoussée. Chaque soir, elles se succèdent devant le médecin pour être réparées. Un claquage, une entorse qu'elles supplient de faire disparaître pour le lendemain matin. Le médecin s'exécute. Offre anti-inflammatoires, antidouleurs et corticoïdes. À Noël, elles rentrent chez elles pour trois jours de vacances.

## JOUER FOLLEMENT

Stefania raccompagne Nadia à l'internat le 27 décembre et assiste à l'entraînement. Elle voudrait se couvrir les yeux lorsque les gymnastes, d'un bond, explorent l'horizon, cette inversion du sol et du plafond, l'air rendu élastique. Sa fille recommence. Remonte sur la poutre. Tombe. Hors d'haleine, elle se saisit d'une gourde et boit une gorgée à peine avant de retenter un double salto arrière. À 16 heures, sur un signe de Béla, on vide le gymnase, on congédie la femme de ménage, les autres entraîneurs et même le pianiste, ne restent que Nadia, Béla et Stefania à qui Béla fait promettre de ne rien rapporter de ce à quoi elle va assister. On tire les rideaux, on allume l'électricité en pleine journée.

C'est comme si elle s'absentait. L'enfant semble traversée d'une mission dont elle-même ignore le nom. Pas un regard vers sa mère ni vers lui. Son visage pâle et tendu, les lèvres serrées, des cernes sous les yeux, elle prend une grande inspiration et fait un signe de tête à Béla, il la soulève, la hisse directement sur la barre haute. Elle entame le mouvement de balancier nécessaire, un élan. Puis, au signal de Béla, elle lâche prise et effectue un tour complet sur elle-même entre les barres, ses cuisses s'ouvrent en écart, sa nuque frôle le bois, elle se rattrape de justesse.

Cette surprise est un secret, une déclaration de suprématie mondiale dont personne ne connaît l'existence encore. Ce saut inimaginable, pour lequel il faut oublier os fracturés, tendons sectionnés et vertèbres fêlées si jamais. Pour lequel il faut jouer follement, hors piste. Cet inimaginable saut, qui provient de l'erreur d'un matin, quelques mois auparavant.

Nadia s'apprête, ce jour-là, à réaliser un salto classique. Est-ce son corps qui, pour ne pas mourir, cherche une échappatoire au moment où ses mains glissent et qu'elle rate la barre, son bassin cogne violemment le bois ? Béla a bondi vers elle mais trop tard, de toute façon, si elle… ça sera toujours trop tard. Elle a réussi à s'agripper à la barre qu'elle a lâchée. Il lui propose un verre de limonade, une pause, elle refuse, très pâle, comme si elle allait vomir, puis se ravise, désorientée, abasourdie et surexcitée, aussi, car elle n'a pas chuté. Ils se taisent.

Qui des deux réussit à retrouver et déchiffrer ce qui a surgi pour le réécrire au propre ? Peut-être que ce n'est pas lui qui ose proposer de refaire le chemin de la chute évitée, mais elle. Dès le lendemain, Béla et la petite se mettent au travail pour apprivoiser la merveilleuse erreur.

Les figures sont classées selon leur difficulté, une figure A est considérée comme simple, B est plus complexe. Les E ne sont réalisées que par très peu de filles dans le monde. Disons, chérie, qu'on appellera ça un super E! Béla, lorsqu'il envoie au CIO les programmes de ses gymnastes pour Montréal, ne mentionne aucun E, encore moins de super E; après tout, à Munich, les Soviétiques avaient pris tous les autres pays de court en "oubliant" de décrire les figures du programme d'Olga K.

"En 1972, la Fédération internationale de gymnastique s'est alarmée des « figures dangereuses réalisées par Olga K. qui pouvaient entraîner des fractures du pelvis ». Il a été envisagé de les interdire. En 1976, on a demandé à Károlyi si ce que vous réalisiez ne vous mettait pas en grand danger. « C'est possible, a-t-il répondu, mais Nadia ne tombe jamais ! »"

Elle soupire. Se tait. "Y a-t-il des choses qui vous déplaisent dans le chapitre ?" je demande, gênée.

Elle : "Non… Mais je vous vois venir… Le sport d'Europe de l'Est aux méthodes épouvantables, etc." Je commence à protester mais elle m'interrompt : "Donnez-moi votre adresse postale, s'il vous plaît."

Quelques jours plus tard, dans l'enveloppe, je trouve la copie d'un article publié en 1979 dans le bulletin de la Fédération française de gymnastique. Les responsables s'inquiètent, après la retransmission télévisée des Championnats d'Europe à Strasbourg, des nombreuses chutes graves des gymnastes car "celles-ci donnent une mauvaise image de notre sport". En accord avec la chaîne, il est convenu de "moins se focaliser sur les incidents" lors de la diffusion des prochaines compétitions.

## JEANNE D'ARC MAGNÉSIQUE

*29 mars 1976,*
*New York, Madison Square Garden*

Comment rendre compte d'une petite fille qui décline les dangers comme autant de comptines dont elle sera bientôt lassée. La chef des juges recalcule les points, incrédule. Elle cherche des failles pour ôter quelques centièmes, il n'y a rien. C'est dix. Au Japon la semaine suivante, lors de la Chunichi Cup, c'est encore deux fois dix, aux barres et au saut.

Béla scrute ses cernes, son odeur, boit-elle suffisamment entre les entraînements? Et il doit également s'occuper de celles qui forment le décor maintenant, des figurantes : les autres filles de l'équipe. Ennuyeuses, prévisibles, leur peur et leur fatigue qu'elles tentent de dissimuler quand Nadia, elle, est une plante carnivore de dangers dont il faut la gaver. Elle suit ce que son corps lui dicte, ce corps capable d'inscrire le feu dans l'air, une Jeanne d'Arc magnésique. Elle grignote l'impossible, le range de côté pour laisser de la place à la suite, toujours la suite.

"Mmoui. À vous lire, depuis le début, vous décrivez Béla comme une sorte de... spécialiste alors qu'il n'y connaissait pas grand-chose!

— Il vous montrait les figures, il devait s'y connaître un peu, non?

— Il a appris la gym en même temps que moi." (Elle rit et, comme je ne la vois pas, j'ignore si elle est amusée ou acide.)

Selon elle, Béla a été une sorte de manager de génie, un visionnaire plutôt qu'un technicien, avec, comme au tournoi de Paris, des idées pour la "faire voir de l'Europe de l'Ouest".

"Et Geza, le chorégraphe de votre merveilleux exercice au sol à Montréal, ça c'était génial! Ce mélange de gestes enfantins et d'acrobaties, cet humour...

— Geza... Il savait m'observer dans la vie, oui, et il avait l'intuition de ce qui pourrait plaire aux juges, une sorte de... manager.

— Dites donc, que de managers! Parce que, dans un sens... Ceaușescu, lui aussi, « manageait » votre image...

— Oui. Tous des managers. Beaucoup de managers, beaucoup."

## YES SIR, THAT'S MY BABY

Pour Nadia, Geza a d'abord écrit une chorégraphie dans laquelle sa souplesse et sa vélocité sont mises en évidence sur une musique martiale, un quatre temps. Refusée par Béla et Márta. Pour sa deuxième tentative, sur l'air de *Schéhérazade*, il lui apprend à acquérir plus de langueur dans les poignets, à assouplir son bassin et à travailler l'orientalisme d'un port de tête. Geza n'a même pas besoin d'attendre que Nadia ait terminé pour réaliser son erreur. Appliquée à être sensuelle, la fillette ondule avec peine, entre chaque déhanchement, elle jette des coups d'œil presque gênés vers eux comme si elle souhaitait pouvoir aller se rhabiller. On la remercie, on l'expédie à la douche et au lit.

Béla reste silencieux un moment, ils sont seuls dans le gymnase, puis, presque incohérent de fureur, il accuse Geza d'avoir voulu saboter la petite avec ses saloperies, tiens, tu me fais vomir, et comme Geza menace d'arrêter net leur collaboration, il l'implore de trouver autre chose, tout sauf rester sur ces horreurs, pardon Geza, j'ai besoin de toi, tellement tellement s'il te plaît, je veux du sur-mesure pour Nadia à Montréal, du très très nouveau! Et sans lâcher sa cigarette, il commence à esquisser quelques pas en chantonnant com-me-ça-tu-vois-dans-ce-sty-le-peut-ê-tre, lourd travesti s'essayant à l'enfance, "quelque chose de lé-ger, de ra-vi-ssant, talalala".

Réconciliés, ils vont chercher du salami et des tomates dans la cuisine et, assis à la grande table en formica, passent en revue les concurrentes. Les Soviétiques de la génération de Ludmila, coachées par des danseurs du Bolchoï, qui glissent quelques ports de bras éplorés entre des acrobaties parfaites sur un air de Tchaïkovski, on connaît. C'est plutôt du côté d'Olga qu'on devrait regarder. Celle qui, à Munich, a noué des rubans à ses cheveux. Elle fronce son nez tel un hamster rigolo, minaude avant de se lancer dans une figure (E) qui, si elle la rate, lui brisera le cou ; avec elle, l'intensité et le drame ont pris un coup de vieux. Olga, qui mime un reste d'enfance auquel elle s'accroche car, comme le fait remarquer Béla, elle aura vingt et un ans bientôt.

Et Nadia, que dire de Nadia ? Elle fascine par sa technique, elle excelle, c'est sûr. Mais combien de temps faudra-t-il aux Russes pour en sortir une sur le même modèle, une super E ? Quelques mois ? Et si tu n'avais que trois adjectifs pour la décrire, que dirais-tu de Nadia ? Sérieuse-parfaite-imperturbable ? Impeccable-précise-impressionnante ? Ce qu'il lui faut, c'est un "truc", un putain de truc, tu vois, comme une étiquette, simple, se répètent-ils, totalement ivres, à présent. Pas tes sales trucs pour bonnes femmes, attention, hein, va pas me salir mon écureuil sans poils, rajoute Béla hilare quand ils se quittent enfin, et Geza se couche sans une seule idée nouvelle sauf cette certitude : il est gênant de voir

Nadia se déhancher. Il est gênant et ridicule de voir Nadia dessiner des douceurs dans l'air : elle, on a envie de la regarder grimper aux arbres ou courir sur une plage, ouvrir des cadeaux de Noël et battre des mains, Nadia a l'âge du rôle que jouent toutes les autres, précairement déguisées en gamines, tentant de faire oublier le désir très peu sportif qu'elles suscitent, leur poitrine soulignée par le tissu élastique.

Geza cherche. Des semaines durant, il tente. Nadia rogne sur l'école et les temps de repos. Ils essayent des musiques sur elle, s'en débarrassent comme de vêtements peu seyants, non, on a trop entendu ces airs folkloriques et ces valses. Le pianiste, Dan, fouille dans sa sacoche, une partition qu'un ami a rapportée de l'étranger : *Young Americans* de David Bowie. Mais si les juges prenaient mal cette audace ? C'est non. Cet après-midi-là, ils tournent en rond depuis des heures, Dan tient une cigarette de la main gauche et de sa main libre, presque en sourdine, pour se détendre, il esquisse le thème de *Yes Sir, That's My Baby*, un charleston de 1925. Nadia, qui déjeune d'une limonade, est assise en tailleur sur le grand tapis de sol, ce carré si usé par endroits qu'on ne distingue plus la ligne blanche qui le délimite. Elle hoche la tête en rythme et se lève, puis, debout face au pianiste, pour l'amuser, elle esquisse quelques gestes exagérément saccadés, une parodie de film muet, elle avance vers Béla en attaquant le sol de ses talons, les bras ballants. Elle est assez drôle, bien plus qu'elle ne se le permet avec eux d'habitude, elle cabotine pour détendre l'ambiance, mais par-dessus tout, songe Geza en la regardant, elle est : adorable. Insupportablement mignonne. On voudrait lui pincer la joue, lui filer une fessée et la relancer sur la piste, encore. Encore. Il écrit à partir d'elle, dès ce jour. Il la reformule à peine. Il y a peu à retoucher : elle est déjà là. Quand les "chichis" sont en place, c'est ainsi qu'il désigne les pas de danse, Béla parsème la chorégraphie d'acrobaties vierges de noms, il invente ce qu'il rêve d'elle en même temps qu'il ordonne ce qu'elle exécute, elle réussit ce qu'on n'osait pas espérer qu'elle accepterait.

Elle tombe. À plat dos / à plat ventre / presque sur la tête, et il se précipite un matin vers elle, l'angoisse de la commotion cérébrale. La rapidité avec laquelle elle se dégage de son étreinte et lui tend les mains pour qu'il la hisse de nouveau. On lui bande les chevilles. Son talon d'Achille est gonflé et forme une excroissance protégée d'une mousse retenue d'un scotch, stigmate des nombreuses fois où elle a heurté la barre la plus basse du pied. Ses genoux s'infiltrent de liquide, une réaction aux chocs répétés, ses rotules se couvrent de corne. Il faut veiller à ce que les ampoules ouvertes de ses paumes ne s'infectent pas avec la poussière du sol et la magnésie. Son ratio muscles/gras est si parfait que lorsqu'elle court pour se lancer dans des soleils renversés, on doute qu'elle repose les pieds au sol. Dan se plaint, Nadia ne cesse d'aller plus vite que la musique dans sa première diagonale. Suis-la, lui répond-on. Colle-la. À l'approche des Jeux, plus personne d'extérieur n'est autorisé à rentrer dans le gymnase; on ferme les portes à clé. On invente des noms de code pour les figures inédites, le super E est baptisé "salto Comaneci", naissance qu'on officialise en improvisant une fête un soir chez Béla, il offre une nouvelle poupée à Nadia pour sa collection.

"*Je ne vous appelle pas trop tard, Nadia?*

*— Non, ça va. Désolée, je n'ai pas eu le temps de lire vos dernières pages.*

*— Ne vous en faites pas. Voilà : j'ai eu accès à un documentaire hier. Le commentateur dit ceci, texto : Lors des Jeux de Mexico en 1968, Věra Čáslavská était une très belle femme, c'est vrai, mais on n'avait jamais l'impression qu'elle pouvait se faire mal en tombant. Alors qu'Olga, à Munich en 1972, lui a donné des frissons, parce qu'elle était si mignonne et si jeune, et que, pour la première fois dans un gymnase, on avait peur. Pour elle, pour sa vie. Entendre des vieux journalistes s'exciter sur le danger, ça me... Le* must, *c'est des petites qui frôlent l'accident?! Ça a un côté... pornographique. Et... Allô, vous êtes là? Vous trouvez que j'exagère?*

*— ... Non. On reparlera de ça plus tard. Du risque. Dès que vous aurez dépassé mon enfance. Je vous souhaite une très bonne nuit.*"

## LES MANAGERS DE L'EST
## (L'AVÈNEMENT DES NŒUDS ROUGES)

Pensent-ils toujours en ces termes, les managers ? Qu'il est bon d'entourer d'accessoires l'histoire qu'ils sont en train d'écrire, comme la coiffure de Věra Čáslavská. Ses cheveux de princesse rock'n'roll, crêpés et ramassés en un haut chignon bouffant qu'elle retient d'un bandeau noir assorti à son eye-liner, une coiffure américaine et nocturne. Irrésistiblement supérieure, Věra exécute des figures que seuls les hommes maîtrisent. Un col Claudine immaculé souligne le noir de son maillot, ses seins pointus ne bronchent pas quand elle effectue ses souplesses avant, elle pourrait presque tenir un verre de champagne à la main, tandis qu'elle amasse, souriante, l'or et l'argent.

Věra est une sorcière en col Claudine. Věra est délicieusement dangereuse. Sa parole a surgi, forte et intelligible lors du Printemps de Prague, elle a manifesté contre l'invasion soviétique et signé le Manifeste des deux mille mots. Věra est une fée musclée. Dans sa cachette, une forêt de Moravie où elle se terre, harcelée par le nouveau pouvoir en place, elle s'est entraînée, seule, sur un tronc d'arbre renversé qui lui sert de poutre. Mais les JO approchent et on ne peut pas se passer d'elle, alors on l'invite à sortir de sa forêt, tout est pardonné…

Quand la délégation tchèque rentre dans le stade lors de la cérémonie d'ouverture à Mexico, la foule bouleversée scande "Li-ber-té Tché-co-slo-va-quie Vé-ra" sur son passage. Véra dévore les épreuves, cet appétit qu'elle a, de joyeuses fringales solaires, ses acrobaties ont été conçues et répétées dans l'herbe, elle virevolte, son chignon joliment défait, elle salue les juges. Le public est debout, exalté d'avoir assisté à la démonstration écrasante de Čáslavská, les journalistes commentent cette médaille d'or qui devrait lui échoir dans quelques instants. Et ils passent inaperçus, les trois individus en costume gris assis non loin de la table des juges, qui se dirigent vers la Soviétique Larissa Petrick et la félicitent. Mais pas des Tchèques, dont l'entraîneur prend Véra dans ses bras et la console de cette allégeance de dernière minute faite aux Soviétiques par les apparatchiks tchécoslovaques. Les deux gymnastes devront partager leur titre et leur médaille.

Véra se redresse. Elle profane l'ordre donné, encore une fois. Et ils sont sans doute très peu parmi les millions de téléspectateurs, si peu qui sauront déchiffrer le message implacable qu'envoie Véra aux autorités tchèques, quand, aux premières notes de l'hymne soviétique, elle baisse ostensiblement les yeux. La marguerite piquée dans ses cheveux blonds frémit légèrement au rythme de sa respiration. Devant les caméras du monde entier, Véra tourne le dos au drapeau rouge qui s'élève lentement. Adieu Véra.

À l'Ouest, on est très, très choqués que la médaille d'or lui ait échappé, ces malhonnêtetés olympiques sont impardonnables! Et la classe de Čáslavská, son courage face à l'oppresseur, on ne l'oubliera jamais. Exclure l'URSS? On l'a proposé au Comité, mais ça serait dommageable pour le sport, après tout, ils ont une réserve de gymnastes étonnantes! Les Jeux de Munich approchent et on parle d'une surprise phénoménale du côté soviétique. Certains prétendent l'avoir vue en photo, une très jeune fille qui se tiendrait debout sur la barre haute, celle que les autres ne font qu'agripper de leurs mains. On raconte que depuis 1970, en secret, les Soviétiques la préparent à réaliser ce qu'aucune femme au monde n'a osé faire : un saut périlleux arrière sur la poutre. Olga K. est cette aucune-autre-jeune-femme-au-monde. Un furet aigu aux dents tordues, franchement marrante, des cheveux raides et soyeux que son entraîneur lui noue en couettes ornées de rubans. Ses cuisses de bébé grenouille forment un creux lorsqu'elle serre ses jolis pieds l'un contre l'autre, la peau dorée de sa nuque, de la soie qui protège ses vertèbres, des osselets mignons.

O. L. G. A. Qui fond en larmes devant les objectifs et accumule les erreurs absurdes lors de son passage aux barres asymétriques à Munich. Recroquevillée sur sa chaise, accusant le coup de son échec, elle s'essuie le nez d'un geste de la main en attendant ses notes, la bouille chiffonnée, entourée de jeunes femmes costaudes qui n'ont pas un regard pour elle. Une Soviétique pleure! Ce ne sont pas toutes des robots! La communiste trop émotive qui a tout foiré pleurniche en direct et en couleur, pour le plus grand délice des magazines américains qui s'entichent de cette Russe si peu guerrière. Mais dès le lendemain, remise, elle vient donner ce qui était promis. Un

86

scintillement de peurs. Son cou grêle qui pourrait se briser lorsqu'elle réussit une figure qui, huit ans après, sera interdite car jugée trop périlleuse par les juges. On ne sait même pas si elle a gagné, et puis on s'en fiche, on roucoule, submergés de cette "fraîcheur", une brise, oh mais quelle merveille, "on a l'impression qu'elle a sept ans !"

Montréal 1976. Olga a vingt et un ans. Par miracle, la petite est restée petite. Épuisée d'avoir dû répondre aux sollicitations de l'État soviétique qui la promène de galas en dîners depuis quatre ans, sa peau est ternie du manque de sommeil. On noue ses cheveux filandreux de nœuds rouges pour gagner du temps, les entendre encore, ces gémissements ravis dans le public, mmmmm. Des nœuds de satin rouge, rouges comme les rideaux d'une chambre close dans laquelle on l'offrira une dernière fois aux regards, rouges comme l'accessoire qui fait durer le désir, rouge qui confirme à l'acheteur la *fraîcheur* de l'image acquise, rouge le satiné de ce succédané de porte-jarretelles, il faut bien ça, des nœuds rouges, pour gagner quelques instants de plus, car, l'Autre, la nouvelle Roumaine, a tout juste quatorze ans et elle est Adorable.

## CHIFFRES

*"Écoutez, c'est amusant, me dit-elle, très animée : j'ai eu sept fois dix et j'ai gagné trois médailles d'or à Montréal. Ça fait vingt et un, le chiffre de cette olympiade, et si on ajoute 7 et 3, mon numéro de dossard, on obtient toujours... 10, le score parfait!*

*— Un autre chiffre, Nadia. Vingt mille. Vingt mille tentatives/répétitions du salto avant de l'accomplir aux barres asymétriques à Montréal, le salto Comaneci..."*

*Une pause à l'autre bout du fil durant laquelle il me semble qu'elle hausse les épaules, redevenue maussade.*

*"... Évidemment! Qu'est-ce que vous imaginiez?*

*— ... Vous êtes arrivées à Montréal une dizaine de jours avant le début de la compétition pour bien vous préparer. Vous étiez accompagnées en permanence d'interprètes qui reformulaient tout ce que vous disiez. Quel était votre rapport avec les autres gymnastes, celles d'Europe de l'Ouest? Que pensiez-vous des différences évidentes entre vous, de leur liberté?*

*— ... Vous savez, elles étaient... assez mauvaises. Elles ne m'intéressaient pas. Je connaissais bien les Russes, Nellie surtout, ça faisait trois ans qu'on se croisait dans des compétitions. Pour le reste... Vous croyez*

que le régime roumain était le seul à surveiller ses sportifs lors des rencontres internationales ? Dans la gym,
chaque pays essaye de savoir ce que l'autre fera, c'est
une partie d'échecs. Vous n'allez pas donner vos secrets
à l'adversaire ! On nous disait de déclarer à la presse
qu'on s'entraînait trois heures par jour quand c'était
six, comme ça on gardait de l'avance !

— Montréal a « marketé » l'image d'une fillette innocente qui surgit de nulle part, alors qu'en réalité, vous
gagniez tout depuis deux ans. Vous avez contribué à la
fabrication de cette image. À travers vous, le pouvoir
faisait la promotion d'un système. La réussite totale du
régime communiste, l'apothéose de la sélection : l'Enfant
nouvelle surdouée, belle, sage et performante."

(Rire agacé.)

"Ah oui, bien entendu ! Les Roumains vendaient le
communisme. En revanche les athlètes français ou américains, aujourd'hui, ne représentent aucun système,
n'est-ce pas, aucune marque !!... "

## OFFRE SPÉCIALE

*Montréal 1976*

"Sur la table : des pots remplis d'une pâte brune, des saladiers d'un fromage blanc granuleux et de grandes galettes recouvertes de sauce tomate, de jambon et de fromage fondu." Dorina note scrupuleusement dans son journal chacun des détails – stupéfiants – de leur séjour olympique, elle qui n'a jamais vu de *peanut butter*, de *cottage cheese* ou de pizzas. Les cornflakes servis le matin les font pouffer. "Des céréales ? Ils se nourrissent comme des animaux ici !" "Et ils mâchent tout le temps, vous avez remarqué, professeur ?" constatent-elles, ébahies, devant les mâchoires occidentales sans cesse en mouvement, chewing-gums, sandwiches, bonbons, snacks.

Béla, lui, sait qu'il doit faire vite, accélérer l'émerveillement et l'ébahissement. Limiter l'impact du spectacle. Ne pas faire remarquer aux gamines ces hélicoptères qui transportent les athlètes sur le site des épreuves pour des raisons de sécurité, ni ces contrôles et ces fouilles incessants aux portiques.

À chaque voyage à l'Ouest, Béla est attentif à passer du gymnase à l'hôtel et de l'hôtel au gymnase, les petites ont à peine le temps de collectionner les mini-pots de confiture et les échantillons de shampoing qu'elles sont déjà dans l'avion vers Bucarest. Ici, les barres chocolatées enveloppées d'argent et de points d'exclamation "Plaisir garanti!!!" forment un incontournable et tentaculaire rond-point mondial qui ne permet jamais de se concentrer entièrement ; tout, dans ce village olympique, fait de l'œil aux gamines qui tendent une main hésitante vers les nouveaux modèles de Nike exposées dans le hall, un monde doucereux qui s'insinue en elles. Ni Béla ni Márta ne peuvent grand-chose contre les six cent vingt-huit sponsors qui se poussent du coude dans les travées du village.

Des clowns vêtus de jaune tendent aux athlètes des canettes miniatures, collection de bulles acides orangées, brunes, vertes, des saladiers en plastique mauve débordent de chewing-gums, de bonbons aux couleurs des Jeux, on pioche des tee-shirts dans d'immenses bacs, des casquettes, des pin's aux couleurs de l'olympiade, des peluches de toutes les tailles, oh on peut en prendre pour mon frère, camarade professeur ? Et elles repartent avec trois oursons sous le bras, des porte-clés, des ballons, des rubans brillants, du papier à lettres aussi. Elles contemplent, perplexes, les étiquettes annonçant des "Offres spéciales!!!!" dans les boutiques du site. Trois pour deux. Un dollar de réduction si vous prenez le lot! "Ici on paye les gens pour qu'ils achètent", affirme Luminiţa. Dans de confortables salons aux lumières tamisées, les derniers tubes (Abba! Elton John et Kiki Dee!) couvrent le son de la télé allumée en permanence.

Les petites s'arrêtent, elles saisissent le bras de Márta, regardez, regardez, quand surgit le jingle annonçant les publicités. Ces mini-films sont si ma-gni-fi-ques, madame le professeur. Et si drôles… Les tables basses sont recouvertes de magazines. Elles testent les canapés, feuillettent *Elle*, *Life*, *OK!*, ne reconnaissent aucun des visages sauf "Alain Delon!" s'exclament-elles, ravies. Elles explosent de rire à chaque cooink strident – "un canard!" – des portiques de sécurité qu'elles sont obligées de franchir plusieurs fois par jour.

Tout est si moderne, répète Dorina, si "high-tech", elle a appris le mot dans une revue le matin même. High-tech, la sollicitude permanente, ce confort : au petit-déjeuner, à peine ont-elles bu un jus de fruits qu'une voix parfumée surgit par-dessus leur épaule, proposant d'en avoir encore. High-tech, ces centaines d'hôtesses disposées telles des plantes saines et lustrées, si prévenantes qu'on est sûrs de s'être déjà rencontrés quelque part, comment expliquer autrement leur familiarité affectueuse, ces gestes de la main qui accompagnent leur "bye-bye". Elles sont si belles belles belles, répète Dorina à Nadia, si modernes! Elles sentent la menthe et la laque, élastiques comme des sportives qui ne transpireraient pas.

Face à ce déversoir de possibles, Béla est impuissant. Toutes ces images superflues, ce bruit de fond, c'est du gras qui menace. À Oneşti, d'aucuns diraient qu'une fois qu'on a fait le tour de la ville, on n'a qu'à le refaire dans l'autre sens. Pourtant, ce vide n'en est pas un, cette quiétude d'une route dégagée, cet espace, de l'air qui laisse la place au geste. Du silence entre les arbres, des étalages de fruits et de légumes terreux et biscornus, quelques poupées dans l'unique magasin de jouets et des courettes où l'on joue jusqu'à ce qu'il fasse sombre, alors, on rentre à la maison, on écoutera de la musique à la radio ou on lira longuement avant de s'endormir. Ces barrières contiennent un ciel à l'envers ; ce sont leurs offres illimitées à eux qui réduisent l'espace, cette valse occidentale dont on sort nauséeux d'avoir trop tournoyé.

"C'était impressionnant cette abondance, pour vous ?
— Bien sûr. Vous savez, la première fois que ma mère est venue à l'Ouest, c'était dans une banlieue du New Jersey, eh bien, elle a pleuré dans les allées du petit supermarché."

Je cherche à comprendre. Pleurait-elle de joie, Stefania, devant l'émotion de ces nouveaux choix, le fait même d'avoir le choix, et Nadia me coupe la parole, presque brutale. Le dégoût de cet amoncellement absurde, me corrige-t-elle. La tristesse de se sentir envahie de désir devant tant de riens. "Chez nous, on n'avait rien à désirer. Et chez vous, on est constamment sommés de désirer."

*Nous reparlons longuement au téléphone de ce que j'ap-*
*pelle les "manigances" de Béla, cette façon parfois déses-*
*pérée de mettre en scène celle qui est déjà championne*
*d'Europe, mais à laquelle les médias occidentaux ne*
*s'intéressent pas. J'envoie mes pages à Nadia, elle ne*
*me fait aucun commentaire ; des semaines plus tard,*
*elle m'écrit : "Le mot « manigance » est trop négatif.*
*Le mythe de la gymnaste que le monde entier découvre*
*car elle est géniale est totalement faux. Les juges doivent*
*avoir déjà entendu parler d'une gymnaste pour la regar-*
*der et la noter correctement. Et Béla le savait. Personne*
*ne nous connaissait à notre arrivée à Montréal, il n'y en*
*avait que pour les Russes. Béla n'était pas seulement un*
*coach, plutôt un coach-agent-avocat… Écrivez « plan »*
*s'il vous plaît. Pas manigance."*

## LES MANIGANCES OU LE PLAN DE BÉLA

Il a hurlé, tapé des poings, geint, offert des paquets
de Kent et des promesses de médailles à tous les responsables de la Fédération et du Comité central.
Il a giflé des merdeuses faiblardes, jeté des gâteaux
trouvés sous les lits des dortoirs et privé de dîner les

coupables, a renvoyé sept médecins, oublié le prénom – sans même le vouloir – de celles qui se sont
blessées trop gravement pour être là aujourd'hui,
il s'est arrangé du budget de cinquante-six lei (trois
francs) par jour et par enfant, manger vous conduira
à vos tombes plus vite, mes chéries. Il a arraché à ses
paumes de petits lambeaux de peau pour les coller aux
ampoules ouvertes de Nadia, la peau répare la peau!
Mais rien n'y fait, personne ne connaît la Roumanie
et, depuis leur arrivée au village olympique, aucun
journaliste n'a demandé d'interview. Béla a acheté tous
les quotidiens, n'a éteint la télé qu'après avoir regardé
les journaux télévisés, en anglais et en français. Rien,
à part une brève dans un magazine spécialisé.

Pourquoi, alors que depuis deux ans Nadia bous-
cule les championnes en place, pourquoi aucun reportage, pourquoi si peu de photos, pourquoi Nadia
ressemble-t-elle encore à une rumeur? Cette frustra-
tion d'être empêché, comme à une frontière invisible,
par les Russes qui lui bloquent la vue de l'Ouest. Avec,
en arrière-plan, son clown-écureuil.

Le 17 juillet, l'immense forum n'est qu'à moitié rempli. Le speaker annonce l'équipe de Roumanie sous les applaudissements d'un public distrait.
En rang, elles s'apprêtent à faire leur entrée mais
Béla retient Nadia par le bras. Le speaker reprend :
"Équipe de Roumanie!" Béla, d'un geste, leur
intime de ne pas bouger tandis qu'il explique à
celui qui vient les houspiller qu'une de ses petites
est aux toilettes, *sorry*. Le ton de l'annonce change :
"L'équipe de Roumanie?" Nadia tente un "C'est à
nous, camarade professeur" comme s'il venait d'avoir
une absence. Béla se penche vers elle, lui murmure
quelque chose à l'oreille, qu'elle murmure à son tour

à Dorina qui le chuchote à Mariana et ainsi de suite jusqu'à Luminița qui applaudit, ravie.

Quand elles apparaissent enfin, marchant au pas et à équidistance les unes des autres, tous sont tournés vers elles. Qu'est-ce que c'est ? Une animation ? Une erreur ? Qu'est-ce que de si petites filles – elles ont quoi, à vue d'œil, douze ans à peine – font là ? Et vêtues à l'identique, une véritable armée, alors que même si on est assis loin, on distingue chez les Soviétiques Ludmila en rose et Nellie en bleu roi. Le blanc mat de leur maillot est parcouru des bandes bleu jaune rouge, du haut de leurs cuisses jusque sous les aisselles. Et, telle une cible sur le torse des Roumaines, cet écusson : des conifères et une montagne serrés sous un soleil d'un jaune naïf et entouré de brins de blé, avec une étoile rouge en plein cœur qu'aucune ébauche de poitrine ne vient déformer.

Les filles des différentes équipes se saluent poliment et commencent tour à tour à s'échauffer, évitant les figures complexes pour s'épargner une blessure de dernière minute. Sauf elles. Fortes du plan d'attaque de Béla, elles courent d'un agrès à l'autre, un gang de bandites qui exécutent leurs programmes complets sans hésitation, comme si la compétition avait déjà commencé.

Le speaker signale la fin de l'échauffement et toutes reviennent dans les travées, cet espace neutre où les adversaires se frôlent sans jamais se parler, une loi tacite. Que les gamines roumaines sont en train de piétiner. Joyeusement malotrues, elles envahissent cet espace de repos et d'attente, elles éclaboussent les règles olympiques : boule de nerfs électrique dans l'atmosphère moite, Dorina bondit, un double saut périlleux qui atterrit presque sur les pieds de Ludmila ébahie, sans un regard pour la Soviétique, elle resserre nonchalamment l'élastique de ses couettes en chantonnant. Puis, c'est Nadia qui s'avance vers Olga, hop, deux saltos arrière enchaînés, son pied heurte le bras de la Soviétique apeurée. Les Russes se serrent les unes contre les autres, regroupées autour de leurs entraîneurs stupéfaits, comment Béla peut-il laisser ses gymnastes prendre le risque de trébucher sur des sacs, des survêtements qui traînent au sol! Ils sont sur le point de porter plainte, mais Béla siffle et tape dans ses mains, les petites trottinent gentiment vers lui.

Les télés américaines revoient précipitamment l'emplacement de leurs caméras, les disposant de façon à pouvoir faire de très gros plans des visages russes, Ludmila, Olga et Nellie, visiblement sonnées par le message des Roumaines, ces explosions guerrières, des figures dont personne, dans la salle, ne connaît le nom.

*

Aujourd'hui, il se raconte qu'à Montréal Nadia évolua dans un silence total. En réalité, la musique du passage au sol d'une Soviétique retentissait tandis qu'une autre courait vers le saut de cheval sous les encouragements du public. Il se raconte que Béla fit brutalement taire la femme assise à ses côtés qui, pendant que Nadia dansait sur la poutre, implorait Dieu que tout ça se termine. Il voyait chaque détail, chaque saut, chaque pirouette, tout, comme une course d'obstacles, un par un maîtrisés, il fixait la cheville gauche de l'enfant strappée après une entorse la semaine précédente, pourvu, pourvu qu'elle tienne. Dorina, elle, se souvient de cet instant où elle a eu la certitude que Nadia ne pourrait plus tomber, comme si elle ne savait plus. Je vous salue Nadia pleine de grâce, balbutie le commentateur de l'épreuve retransmise en direct. Et de toute cette histoire, il faudra répondre sans fin, examiner les images et les chiffres comme une énigme à laquelle elle ne trouve toujours aucune réponse.

*À la question que je lui pose : "Vous rendez-vous compte de l'impact que vous avez eu en 1976 ?" Nadia me répond, somnambule de sa super-enfance : "Non, je ne sais pas, je me demande encore… Qu'est-ce que j'ai fait ?"*

*Vous avez décrassé le futur et ravagé le joli chemin rétréci qu'on réserve aux petites filles, je voudrais dire à Nadia C., grâce à vous, les petites filles de l'été 1976 rêvent de s'élancer dans le vide, les abdos serrés et la peau nue.*

## LA BELLE AVENTURE Ô GUÉ

Nadia fait le tour des hommages occidentaux post-olympiques, accompagnée de Dorina, le merveilleux casting d'une reine et de sa suivante d'un modèle plus courant. Elles entrent sur le plateau de télévision flanquées d'une interprète "monitrice fédérale de Roumanie", surveillante chargée de veiller aux mots.

On note la tension palpable de "l'interprète" – on est en direct – au moment où l'animatrice de l'émission veut savoir si les fillettes ont hâte de retourner en Roumanie, après ce mois passé à Montréal. Son soulagement lorsqu'elles s'enthousiasment à l'idée de quitter l'Ouest. L'interview est presque achevée, une lente publicité pour les bienfaits de l'enfance communiste.

L'animatrice, très souriante, s'enquiert : "Que feras-tu quand tout ceci sera terminé?" L'enfant se tient affalée, ses jambes légèrement écartées dans un grand fauteuil de cuir qu'elle s'amuse à faire pivoter de droite à gauche. "Je n'y pense pas", répond-elle comme on se bouche les oreilles. "Bien évidemment, chérie mais... Dis-nous, quand tout ceci sera terminé, Nadia, tu te marieras ?" Et la question est à peine posée que Nadia pouffe en s'enfonçant plus encore dans le siège qui tournoie, son sous-pull jaune à col roulé en matière synthétique fait un pli sur son abdomen concave, elle resserre l'élastique de sa couette gauche.

Et maintenant, un sujet difficile à aborder, mais inévitable. L'animatrice à gros chignon baisse le ton et se penche vers la monitrice boudinée dans son tailleur bleu, qui acquiesce d'un air entendu, oui, c'est vrai, inévitable.

"Comment dire… Vois-tu chérie, Olga, maintenant, elle a… grandi. Que feras-tu ?… Quand tu commenceras à perdre."

Longuement, l'enfant fixe les femmes. Et d'une esquisse de sourire frondeur, elle s'extrait de l'abîme : "Je ne pense pas à perdre. Ce n'est qu'un début." Alors, attendries, on la laisse à l'enfance et, pour clore, on lui demande de chanter quelque chose en roumain, du folklore peut-être ? La petite fronce le nez, se tourne vers sa comparse, elles se penchent l'une sur l'autre, conciliabule de chuchotements, puis, Nadia se redresse dans son fauteuil et, comme une déclaration d'indépendance, un chemin de traverse sans nœuds rouges, elle offre ses joues pâles et nues aux projecteurs et entonne, sans quitter la caméra des yeux : "Je suis un pe-tit gar-çon de bon-ne fi-gu-re je suis un pe-tit gar-çon la bel-le a-ven-tu-re ô gué la bel-le a-ven-tu-re."

*

Autour de Nadia, les chiffres continuent de s'accumuler cet été 1976 ; cinq mille appels reçus à la

Fédération canadienne de gymnastique en moins de trois mois, aux États-Unis, soixante pour cent d'appels supplémentaires aux urgences : celles qui ont voulu "jouer à Nadia" se sont cassé le poignet ou la cheville.

On dirait qu'elles ne craignent plus rien, de vrais garçons manqués, s'inquiètent les parents des petites filles de l'Ouest qui se suspendent aux branches les plus hautes des arbres et dînent en justaucorps, transpirantes et décoiffées. C'est une phase. Ça leur passera certainement.

INSTANTANÉS

*26-27 juillet 1976*

— La première page d'un quotidien américain affiche "BYE-BYE, NADIA!", elle fait face à un micro tendu par un homme dont on ne voit que la main, elle étreint une poupée brune dont la tête pend.

— À l'aéroport de Montréal, des centaines de gens la reconnaissent et veulent toucher ses couettes, elle se retrouve plaquée contre le comptoir d'Air Canada. On parvient à la mettre en sécurité dans un bureau, l'hôtesse se baisse vers elle et caresse la joue de Nadia — *so cute* — en lui tendant un verre d'eau, tandis qu'un pilote s'entretient avec les journalistes ; il s'en souvient, oui, il y a un an ou deux, il faisait Bucarest-Londres, et elle était avec son équipe, on l'avait autorisée à entrer dans le cockpit. Elle lui avait posé des tas de questions sur le vol. Et voilà que l'autre jour, il tombe sur elle à la télé et le jury lui attribue un dix ! "J'étais tellement fier… Ma petite fille…"

— À l'aéroport de Bucarest, ils sont sept mille à l'attendre, qui s'élancent en courant sur la piste d'atterrissage, l'avion est forcé de s'immobiliser loin de son arrêt réglementaire. Rien à voir avec ces venues de chefs d'État étrangers auxquelles ils sont tous tenus d'assister, parqués le long des avenues, arborant un drapeau et un sourire artificiel. Là, les officiels du Parti en tenue militaire doivent contenir une ville entière qui agite les mains, jette des fleurs, ils brandissent des pancartes multicolores, les lampadaires sont enlacés d'hommes hissés tout là-haut, munis de leur appareil photo.

Vêtue du tailleur lavande, la tenue officielle de l'équipe, jupe aux genoux, elle pose un pied sur la passerelle, quelques œillets rouges offerts par l'hôtesse à la main, puis, elle s'immobilise et retourne à l'intérieur de la cabine, je ne peux pas professeur, je veux rester ici, elle s'accroche à sa manche, lui se met en colère, il a promis des photos au Comité central, le général Mladescu s'est déplacé exprès pour cette gamine qui semble avoir découvert un monstre sous son lit en pleine nuit. Par la porte restée ouverte, on perçoit les joyeux "NA-DI-A, NA-DI-A!" de ceux qui trépignent. Dorina recoiffe la queue de cheval de Nadia sans mot dire, la pousse doucement vers la sortie. Béla tente d'avancer mais la foule est trop dense, un micro surgit et danse maladroitement devant la bouche de Nadia qui récite : "J'ai rapporté trois médailles d'or que je dédie au Parti, à la patrie et au peuple roumain." Mais on l'entend mal car une chorale d'enfants a entonné "BRA-VO NA-D-I I I-A!", un journaliste la saisit brutalement par le bras, encore, exige-t-il, encore, Béla le repousse, Nadia se frotte le bras, Béla caresse son front trempé, il tient la petite main moite, lui chuchote à l'oreille : "Recommence, chérie. Allez, chérie."

Le lendemain, la *Scînteia* reproduit ce télégramme envoyé depuis Montréal, destiné à Nicolae et Elena Ceaușescu, les remerciant d'avoir permis cette grande victoire et signé, dans l'ordre hiérarchique, Nadia Dorina Mariana Anca Gabriela Luminița Iuliana.

– Plus de soixante mille lettres venues de la planète entière arrivent à Onești, certaines portent uniquement ceci sur l'enveloppe :

*Mlle Nadia Comaneci*
*Gymnaste*
*Roumanie*

– Deux cent mille cartes postales sont imprimées par les PTT roumains à son effigie, on lui fait prendre la pose qui clôt son exercice au sol. En justaucorps blanc, bien sûr, le pied droit pointé. Et un sourire, celui dont elle doit maintenant prouver qu'il existe pour couper court aux critiques.
– Ils n'ont qu'un souhait, ce désir : voir la fillette. Hussein de Jordanie, Jimmy Carter, Giscard d'Estaing, tous, lors de leur visite officielle à Bucarest, rêvent de voir la petite à l'entraînement. Et que doit-elle faire pour les contenter ? L'exercice de Montréal, surtout la pose de la fin, tu sais ?
Ils sont assis là-haut dans les hauteurs du beau gymnase, elle pouffe en se rétablissant de justesse après une diagonale d'acrobaties. Elle reste tard le soir assise à table avec eux dans ce restaurant très chic réservé aux influents, diplomates et membres de la Securitate, il n'y a aucun enfant au Capșa, les serveurs, l'avant-bras couvert d'une serviette amidonnée, s'inclinent cérémonieusement vers elle, il y a tant à

manger, des viandes, des sauces, elle a droit à un peu de vin.

Elle pose entre deux généraux. Elle pose chez elle, dans le salon, assise sur le vieux canapé bleu canard recouvert d'un tissu jaune doré, son père en costume (pour l'occasion) la contemple, tourné vers elle qui, un album sur ses genoux, fait mine de classer des timbres. Le photographe a demandé qu'elle porte des chaussettes jaunes pour compléter la veste rouge et le pantalon du survêtement bleu.

En uniforme scolaire, bandeau blanc dans les cheveux, la chemise azur boutonnée jusqu'au cou sous sa robe chasuble marine, elle pose, le regard grave, entourée de ses camarades de classe, une masse floue de mains extatiquement tendues vers les médailles qu'elle porte autour du cou.

Elle pose avec Béla dans le parc du gymnase, des nœuds-orchidées décorent ses couettes. Ils semblent discuter travail, elle est cette collaboratrice miniaturisée de l'architecture mondiale qu'ils ont bâtie.

Elle pose dans sa chambre, entourée de ses poupées des "cinq continents" soigneusement disposées par sa mère sur le lit.

Elle pose en blouse traditionnelle roumaine.

Elle pose à la plage, en deux-pièces jaune citron, un ballon rouge entre les mains. Les vacances bien méritées de Nadia! Elle pose entourée d'enfants en maillot de bain à qui elle signe des autographes.

Avec les filles de l'équipe, sur le sable, en survêtement (pendant cette semaine de congés offerts par le Parti, elles s'entraînent le matin de 7 heures à 9 heures, font des jeux d'équilibre sur le sable, ensuite c'est le déjeuner, la sieste obligatoire, puis, au réveil, une heure de natation suivie d'une course au bord de l'eau pour renforcer les chevilles, avant un entraînement "confortable" qui précède le dîner).

Elle pose à la neige, et les fillettes de l'équipe en file indienne derrière elle sont chaussées de skis, mais Nadia doit les ôter après la photo car Béla ne l'autorise pas à risquer une chute.

Elle pose entourée d'adultes en costume militaire (le général bedonnant tient sa main très longuement pour la photo, Nadia l'entend respirer fort, sa main est large et molle).

Sur une estrade, face à un immense portrait d'elle peint sur la façade d'un immeuble, une fille aux traits durs et arrogants.

Ce livre de photos qui lui est consacré s'achève par une image de la cérémonie au palais des Congrès, durant laquelle elle est sacrée Héroïne du travail socialiste, il n'y en a jamais eu de si jeunes puisque ce titre récompense d'ordinaire les mères de familles nombreuses. Elle est l'Enfant nouvelle du progrès, plus moderne encore que l'industrie pétrolière roumaine en pleine expansion.

De profil, elle sourit à Ceauşescu. Toujours vêtue du tailleur bleu ciel de l'équipe, elle s'approche du micro et, d'une voix pointue, elle récite : "Je suis très émue. De la main de celui qui est le plus aimé de Roumanie! Je n'oublierai pas ce jour d'août. Ni votre croyance en mes forces, ni celle de la Camarade tant estimée Elena. Nous, toutes les filles de l'équipe, avons senti la chaleur de votre amour parental et nous vous en remercions de toute notre âme, Conducator aimé." Il met fin aux applaudissements d'un geste de la main : "Voilà une jeune fille née dans un pays socialiste et récompensée par les plus hautes distinctions sportives mondiales!" Chaque phrase du Conducator est ponctuée d'applaudissements "nourris", comme précisé sur le communiqué officiel.

Elle pose avec Béla, il se baisse pour être à son niveau devant l'objectif. Lui-même reçoit l'ordre de la Classe ouvrière 1, une médaille accordée à ceux et celles qui enseignent l'excellence aux jeunes. Chaque matin, à l'entraînement, il accueille celle qui a obtenu un titre plus prestigieux que le sien de ces mots : "Ah! Voici notre vache sacrée et décorée!"

# FROM RUMANIA WITH LOVE, NADIA

*1977*

"... *Ça a dû être quelque chose, l'arrivée de l'équipe CBS Entertainment à Oneşti...*

— *... Oh oui! Les gens étaient attroupés autour du camion de la technique et de Flip, personne n'avait jamais vu de Noir à Oneşti...*

— *Et Flip Wilson a pris ça comment?"*

*(Elle rit.)*

"*Il trinquait à la* tsuica *avec tout le monde dès le matin, il fallait attendre qu'il soit sobre pour tourner!*

— *C'est lui qui a présenté Béla au public américain et qui en a fait un personnage du conte bâti par les médias autour de vous...*

— *Les Américains ont tout de suite adoré Béla. Tout pour leur plaire...*

— *Comme?*

— *Oh, ses formules, vous savez, il avait appris ça par cœur avant le tournage de l'émission,* « Winning is everything » *ou* « Show me a good loser and I'll show you a loser ». *Ce genre de choses.*

— *Ça ne vous fait penser à rien, l'incroyable générique du début?*

— *Non… Un film?*

— *… L'Homme qui valait trois milliards, avec vous dans le rôle de Steve Austin!"*

"C'est une petite fille qui est la raison de mon voyage. Je suis tombé amoureux d'elle en même temps que vous, millions de téléspectateurs." C'est sur ces mots de Flip Wilson, animateur et comique superstar, que débute l'émission de divertissement américaine diffusée à une heure de grande écoute et intitulée : *From Rumania with Love, Nadia.* Une bande-son énergique souligne le montage rapide du générique, une succession de visages souriants ; d'abord les seconds rôles : Dorina, Luminiţa, Mariana, Márta, ordonnées en *split screen* multicolore, puis, Béla, qui a droit, lui, à un plan fixe de quelques secondes, et enfin, roulement de tambour et cuivres triomphants, zoom sur le visage de Nadia rieuse.

Séquence d'ouverture : Flip Wilson suit Nadia en ahanant, pataud, il fait des signes désespérés à la caméra, elle court loin devant lui, ils portent tous deux le survêtement de l'équipe roumaine. Fondu enchaîné sur eux deux, dans le gymnase, Flip est debout sur la poutre, elle lui tient la main, il gémit : "Maman, j'ai peur !" Puis, Flip Wilson, entouré d'enfants à la peau dorée et vêtus d'épaisses chemises blanches brodées de fleurs rouges, bleues et vertes ; ils applaudissent sagement l'animateur avant de se prendre la main dans une ronde traditionnelle, accompagnés de vieux musiciens burinés qu'on a fait venir exprès de Bucarest, des professionnels, les jeunes musiciens d'Oneşti ne s'intéressent qu'aux

Stones et ne savent jouer aucun des airs folkloriques que les Américains souhaitent entendre.

Flip Wilson, en contre-jour d'un soleil rougeoyant, brandit une grappe de raisins dorés vers la caméra : "Ces raisins-là – il en croque un, ferme les yeux mmmm –, ils sont inoubliables, mes amis, et ce pain – une femme aux cheveux recouverts d'un foulard fleuri lui tend une épaisse tranche de pain –, ce pain, waouuuh, m'a fait oublier ce qu'on appelle pain chez nous, pouah." Et il jette un pain de mie blafard sous plastique derrière son épaule. Le plan final s'élargit sur les enfants regroupés au milieu du pré, en chœur, ils entonnent un air nostalgique, Flip serre Nadia contre lui tandis qu'en voix off, il promet d'un ton vibrant : "Je serai là à Moscou, dans les tribunes, et j'enverrai des baisers à ma Nadia !"

Plus encore que Nadia, ce que cette émission promeut, c'est la Roumanie. Une Roumanie joyeuse. Et ça n'est pas une histoire de virgule, cette fois, mais d'un mot escamoté : communiste. S'il n'est pas prononcé, c'est pourtant lui qu'on vante tout au long de cette ahurissante promotion américaine d'un communisme naïf et printanier aux pionniers resplendissants de santé. Une coproduction muette entre la Roumanie et les États-Unis, car l'émission ne comporte aucune interview de Nadia, et lorsqu'elle parle à Béla, leurs échanges ne sont pas traduits.

Alors, envoûtées par le justaucorps blanc de la fragile communiste, les petites filles de l'Ouest piétinent les guerres froides. Affamées d'épreuves et de verdicts impitoyables, de réveils à l'aube, d'air non climatisé, d'hymnes et de sobriété, dévorées du désir d'en être, de ce don de soi, des armées de petites Simone Weil répondent à l'appel et partent en stage de gym en Roumanie, se défiant du monde doucereux qui les attend à leur retour.

CAMARADE

> *Tel est l'homme. Tel est le dirigeant*
> *politique. Tel est Ceaușescu, le prési-*
> *dent qui n'accepte d'honneurs que*
> *celui de conduire son peuple, comme*
> *Moïse, dans la terre promise de la*
> *prospérité et de l'indépendance.*

> 1971, M.-P. HAMELET,
> journaliste au *Figaro*.

Comment le nommer. Il est chiffres magistraux, gra-
phiques exponentiels, production en hausse constante
de blé et de légumes, progrès spectaculaires du pays.
Il est la vigueur, le directeur, le conducteur, le phare.
Il ne prend pas parti entre la Chine et l'URSS, participe à la préparation des accords d'Helsinki, s'adresse
à l'Allemagne de l'Ouest comme à la RDA, reçoit
Arafat sans rompre avec Israël après la guerre des Six
Jours. Le 15 août 1968, il part à Prague offrir son
soutien à Dubček et à son retour déclare devant une
foule immense à Bucarest : "La Roumanie condamne
l'invasion des chars russes en Tchécoslovaquie !" La

Roumanie. Condamne. Ces mots qui jamais n'ont été accolés sont applaudis jusqu'aux États-Unis. En France, le général de Gaulle se félicite du "vent salubre qui souffle à l'Est" et le décore de la grand-croix de la Légion d'honneur. Nixon, enchanté de l'accueil qu'il reçoit à Bucarest, souligne les évidentes similarités entre les États-Unis et la Roumanie.

Il y avait le bloc de l'Est et l'Ouest. Lui se faufile, il s'improvise passage de l'un à l'autre.

Comment l'appeler ? Camarade paraît trop familier pour celui qui, à peine intronisé président, commande à un architecte un sceptre de roi pour la cérémonie. Secrétaire général du Parti communiste, président du Conseil d'État, président de la République et guide suprême à la fois. Il est ingénieur du futur, il construit le récit dans lequel on vivra. Il te tend la main : prends place dans l'histoire, fais partie de ce que j'imagine au fur et à mesure. Le Camarade parle sans prendre le temps de respirer. Il déclame, il proclame. Le Camarade s'empare de tous les rôles et le public applaudit. Il est ce résistant aux Soviétiques ! Il est la fierté nationale retrouvée ! L'interlocuteur des chefs d'État occidentaux ! Leur partenaire moderne, un Kennedy de l'Est qui pour autant n'oublie pas les traditions, un roi du Moyen Âge entouré de ses cavaliers en tenue médiévale à l'occasion de la fête nationale ! Il est célébré, fêté par des poètes, des écrivains qui le louangent, lui "le premier Penseur sur cette Terre", "celui qui a redonné vie à la vie", "l'Étoile polaire pensante, le Danube de la Pensée". Et tous participent à l'édification de l'entreprise Roumanie, il y a un rôle pour chacun, un message à porter à bout de bras dans des stades, que vive notre bien-aimé Conducator !

Le pays est un tissu informe auquel il est urgent de redonner de la prestance, et rêche avec ça, une sacrée toile de paysan. Un tissu qui finit par se faire à la forme qu'on lui imprime mais ce pays se déforme si vite, on doit sans cesse le reprendre... Le rythme s'accélère, il faut s'assurer que l'histoire reste bien celle que le Camarade a créée, sans fautes : des brigades de relecteurs et de correcteurs relisent les articles parus dans le quotidien national *Scînteia* et s'assurent que son nom cité plus de trente fois par page reste bien orthographié, CEAUSESCU.

Il ne faut pas que des mots, mais aussi des images : des enfants. Vêtus de blanc et qui tendent la main vers lui, radieux. Et vers elle, la Camarade Elena, elle, ce triomphe de la volonté et du progrès, une femme au physique et à l'origine modestes, devenue la "plus grande Scientifique de renommée internationale", couverte de diplômes grâce à sa thèse sur les polymères, soutenue dans le secret d'une université fermée aux étudiants et gardée de policiers. Elena, "honorable ingénieur, docteur, dirigeante du Conseil national des sciences et technologies", la Femme nouvelle, mère et également ministre de la Science, de l'Éducation, de la Justice et de la Santé, elle, autour de laquelle volettent les colombes qu'on lâche avant le tournage des innombrables reportages qui lui sont consacrés. Et c'est la saine Nadia leur réussite, l'Enfant nouvelle qu'ils applaudissent car à présent, c'est elle le spectacle.

*"Vous vous êtes documentée, fait-elle après un long silence... Je ne dis pas que ce que vous écrivez n'a pas existé, seulement, c'est analysé* a posteriori. *Moi, je l'ai vécu. Et c'était très différent de ce que vous décrivez.*

Ça va vous choquer, je connais les certitudes de vos supposées démocraties libérales à ce sujet… mais il y avait aussi une sorte de… joie, dans les années 1970, ce qui ne change rien au reste, évidemment. Je déteste ces films et les romans qui parlent de l'Europe de l'Est, tous ces clichés. Les rues grises. Les gens gris. Le froid. Quand je dis à des Occidentaux qu'à Bucarest, l'été, on suffoque, on me regarde comme si je débloquais, même aujourd'hui ! Essayons de ne pas faire de ma vie ou de ces années-là un mauvais film simpliste. Bonne nuit à vous."

Elle raccroche si vite que je n'ai pas le temps de lui parler de ma rencontre avec Mihaela G., cette sociologue qui m'explique pourquoi la gymnastique est si vite devenue un sport prioritaire pour le pouvoir : les gymnastes mangeaient peu, elles étaient très rentables ; trop jeunes pour émettre une opinion sur ce qui se déroulait dans le pays, elles ne demanderaient pas l'asile politique à l'occasion d'une quelconque compétition à l'Ouest.

La petite fille d'Oneşti, elle, fait flamboyer la Roumanie du bout de ses chaussons, elle fait chatoyer le communisme devenu l'image en format carte postale d'un justaucorps blanc à l'étoile rouge, la pureté de son ardeur au travail vénérée par un Occident en manque d'ange laïque.

Les Russes ont fasciné le monde entier avec Spoutnik, et, comme les États-Unis, ils garderont leur supériorité militaire. La Roumanie, elle, fait de celles que Béla appelle ses "fillettes missiles" le show mondial le plus adorablement fascinant avec l'arme suprême : la bombe Nadia C., qui exécute ce que des spécialistes américains évoquent en ces termes, "de la démence pure, une impossibilité biomécanique". Jusqu'à ce que le metteur en *chef se montre agacé de la minuscule ombre qui lui en fait trop. Ceaușescu, m'apprend Mihaela, ordonne alors, en 1981, la tenue de concours de chant, de danse et de gymnastique dans tout le pays, pour noyer l'image de l'héroïque gamine qu'il a lui-même couronnée.*

## COMME UN CHIEN

Aux premiers jours du printemps 1977, on la prépare longuement. Sa mère a repassé son tailleur lavande qu'elle n'a pas porté depuis l'été, il a fallu déplacer le bouton de la ceinture qui la serrait trop, on la coiffe, on hésite entre queue de cheval et couettes, bien qu'on ne se rende pas à une compétition.

Juste avant de quitter la maison, Márta, qui l'accompagnera à Bucarest, l'inspecte et propose à Stefania de rosir ses joues, elle a une mine de chien, la gamine. Sa mère refuse, "Non, ça suffit comme ça" et s'interrompt comme prise en faute. Et si Márta et Béla, proches de qui-on-sait, rapportaient en haut lieu qu'en réalité, elle a dit : "Tout ceci est bien suffisant" ? On en déduirait qu'elle et son mari sont hostiles au régime, font preuve de scepticisme quant aux célébrations nationales autour de leur fille, ce symbole national. Peut-être même préparent-ils leur départ pour l'étranger, il faudra les avoir à l'œil, je compte sur vous, Márta. Les parents d'une héroïne telle que notre Nadia doivent être irréprochables, si ceux-là ne conviennent pas, eh bien on changera de parents.

*

Nadia a déjà rencontré le Camarade : il s'est lentement levé de son siège (un trône) pour venir lui serrer la main lors de la cérémonie où elle a été honorée.

"Là, c'est spécial, lui fait-on remarquer, tu dois être si fière, il va te recevoir personnellement, comme une ministre!"

Est-ce que tous les ministres doivent se laver les mains? demande-t-elle à la dame qui, dès son arrivée, la conduit dans une salle de bains aux murs si lisses et blancs qu'ils ont l'air d'être un reproche à tout ce qui ne serait pas lisse et blanc. Elle hésite un moment avant de poser sa main sur le robinet, un cou de cygne, faut-il le saisir par le bec ou lui empoigner le cou pour fermer l'eau chaude? Et une fois dans son bureau, tout va de travers. La Scientifique la plus réputée du monde est là et la rabroue lorsque Nadia s'assoit en arrivant : "Lève-toi, tu es déjà fatiguée?", s'est-elle trompée de chaise, comment savoir, elle n'est jamais entrée dans une pièce où il y ait tant de possibilités, toutes ces chaises brodées, tapissées, certaines en velours grenat, d'autres vert d'eau, des canapés et des tapis plus moelleux que ceux du gymnase.

Il est de dos. Le soleil qui doucement raye l'obscurité de la pièce fait briller ses cheveux noir et gris brillantinés, personne ne dit rien et elle a soif. Le Camarade se tient bien droit et son costume gris foncé semble obéir à ses gestes. Comme un pope, mais les popes sentent le vieux bois et l'humide. Lui est plutôt comme un père, pas un papa, un père, plus propre qu'une famille.

Après, on lui demande mille fois comment ça s'est passé et elle invente un peu parce qu'elle ne va pas raconter l'épisode de la chaise, ni que la Scientifique la plus réputée du monde a parlé d'elle au Conducator comme si elle n'était pas dans la pièce : "Elle a sacrément engraissé, non ?" puis l'a houspillée "Allez, allez" pour qu'elle sorte rapidement.

INTERMÈDE AMÉRICAIN :
LE PROCÈS

*Septembre 1977*

Cette émission de télévision pour laquelle on l'envoie exprès à New York n'est pas un procès, pas un vrai, en tout cas. Cette émission que tant de gens ont vue, tous ces gens dans leur salon en train de soupirer – dis donc, c'est que la fée a pris des kilos –, et c'est tellement vexant, humiliant, comme si on lui arrachait son pantalon et qu'on la forçait à avouer à voix haute : "Oui, j'ai mes règles." Parce que c'est bien ça le sujet, non, ils parlent d'elle d'une voix triste et incrédule, répètent, "Tiens tu as… changé", ça veut dire tu as tes règles, maintenant, et elle, conne joufflue et lourde qui ne peut pas décoller de ce siège et s'en aller, au contraire, elle s'y enfonce un peu plus à chaque question du présentateur.

Et elle rêve qu'elle crie ou elle crie pour de bon, pourtant ça ne peut pas être réel parce que si elle criait, sa mère accourrait, bien sûr, et là, personne ne vient quand elle pleure fort après l'émission. Assise sur le fauteuil de la salle de maquillage où on lui enlève un fond de teint trop foncé, elle baisse les yeux vers ses cuisses qui s'étalent encore davantage qu'hier, sa mère ne viendra pas, elle est si loin, et d'ailleurs qui, mais qui, pourrait contenir ses chairs qui prennent vie comme des fleurs boulimiques, arrogantes et brutales, s'arrogeant le droit de la remplacer peu à peu.

Le procès sera télévisé et instruit en trois minutes trente-neuf lors d'une émission de divertissement américaine. On se passera d'avocat. L'accusée, Nadia C., viendra accompagnée d'une femme roumaine présentée comme son interprète. Au cours du procès, on découvrira que "l'interprète" n'est pas du côté de l'accusée, mais plutôt l'étrange avocate d'un tout comprenant : l'entraîneur Béla Károlyi, la Fédération roumaine de gymnastique, ainsi que ces très nombreux téléspectateurs s'estimant spoliés, trompés par la nouvelle apparence de ladite Nadia C. (toutes ces lettres reçues après la diffusion des Championnats d'Europe se plaignant de ne pas reconnaître leur elfe de Montréal).

On examinera des faits incontestables, mètre et balance à l'appui, des preuves scientifiques. On prendra garde de conserver un ton courtois en s'adressant à l'enfant recroquevillée dans son fauteuil et son pull à col roulé rouge.

Présentateur : "Depuis Montréal, nous avons entendu dire que tu as pris quelques kilos… Tu as été malade ?"

L'interprète, en roumain, à Nadia : "Par rapport à Montréal, tu es plus grosse et tu travailles beaucoup plus mal." L'ingénieur du son fait signe au présentateur que la réponse de la gamine, malgré le micro HF, est inaudible, un semi-murmure embarrassé.

Présentateur : "Il y a quelque chose, toutefois, qui n'a pas changé, Nadia, tu parles tout tout doucement, tu es toujours aussi timide?"

L'interprète, agacée : "Il demande si tu pourrais parler plus fort?"

Un sourire, un souffle, presque une excuse.

Présentateur : "Nadia, un jour, tu auras une fille, voudrais-tu qu'elle soit championne comme toi?"

Fébrile, elle coupe la parole de l'interprète qui s'apprête à "traduire" : "Non, je n'y ai pas pensé j'ai le temps j'ai le temps."

## LES MANAGERS DE L'OUEST

Cette année 1977, il règne à l'Ouest un triumvirat médiatique de petites filles. Jodie Foster joue une enfant prostituée dans *Taxi Driver*, en talons très hauts et minishort, elle arpente les trottoirs de New York. "Tu as vraiment douze ans et demi?" s'inquiète le personnage joué par Robert De Niro, "Hé Jodie, est-ce que tu as un petit ami, quand est-ce que tu te marieras?" demande le journaliste qui accueille l'actrice dans son émission.

Brooke Shields, elle, incarne également une enfant prostituée dans *La Petite* de Louis Malle, une vierge en robe de guipure crème, mise aux enchères dans un bordel au début du siècle.

"Je veux que tu sois mon amant", susurre-t-elle à Keith Carradine sur un air nostalgique de Scott Joplin. "Mmm, tu as un regard un peu… aguicheur! Tu sais ce que ça veut dire, ce mot?" fait le présentateur d'un talk-show, goguenard, à Brooke Shields. La petite, embarrassée, murmure : "Non, je ne sais pas vraiment, non." Le présentateur feuillette alors un magazine et le brandit face à la caméra : "Mmm, tant mieux, tant mieux. Dis-moi, tu penses que tu es sexy sur cette photo?"

À l'âge de dix ans, elle a posé nue dans une baignoire, son corps lisse et fluet entièrement huilé, le visage très lourdement maquillé. Brooke se frotte le nez, silencieuse, elle se tourne vers le photographe présent à ses côtés sur le plateau qui s'enthousiasme : "Quelle vamp! Cette photo, voyez-vous, c'est une petite fille nue qui ressemble à un petit garçon qui veut ressembler à une femme." Il travaille pour le groupe Playboy Press, dans une nouvelle parution consacrée aux très jeunes filles : *Sugar and Spice*.

Nadia C. est la troisième petite fille. Aux petites filles de l'Ouest, l'enfant communiste au visage nu propose l'apprentissage de la guerre. La meilleure façon d'attaquer, de balancer son corps tendu à toute volée.

*"Je suis allée à New York en 1977 pour une compétition, il y avait ces immenses affiches à Broadway, une très jeune fille de mon âge, je crois, qui faisait de la publicité pour un parfum. J'étais fascinée. Je n'étais pas ce genre de… Je n'étais pas une fille qui rêvait d'être une femme. Je n'étais pas un garçon non plus. Je me tenais… ailleurs. En dehors de tout ça."*

*Des boucles châtain laquées encadrent son regard bleu aux longs cils noircis de mascara, elle entrouvre des lèvres glossées et serre contre elle un ours en peluche beige, la petite fille en robe blanche dont Nadia se souvient si bien a huit ans lorsqu'elle devient l'image des parfums Love's Baby Soft. Au bas de l'affiche, ce slogan : "Parce que l'innocence est plus sexy que vous ne l'imaginez…"*

PRAGUE 1977
CHAMPIONNATS D'EUROPE

Ils sont agglutinés contre la barrière de sécurité, où est-elle, elle n'est pas venue, puis l'un d'entre eux s'exclame : Nadia! Il tend son doigt vers elle, la désignant aux autres, et tous s'amassent autour de l'équipe roumaine, ils crient son nom, est-ce bien elle, elle a une nouvelle coupe de cheveux! Leurs appareils photo sont dressés, ils flashent à bout de bras, à l'aveugle, comme si elle avait eu un accident et qu'ils voulaient saisir chaque détail des dégâts, avides du meilleur angle sur l'écusson communiste de son justaucorps gondolé par la large bande élastique du soutien-gorge qui lui comprime les seins.

Béla qui a tout calculé, lui qui a inventé la super-enfance des petites filles mécaniques, je SAIS, répondait-il aux journalistes occidentaux qui voulaient savoir comment il les repérait, si jeunes, voilà qu'il se sent fatigué, presque défait. "Qu'est-ce que tu imaginais, qu'elle ne grandirait jamais?" ironise Geza, et Béla de lui répondre avec l'assurance d'un scientifique, "Non, évidemment, je sais que tout ceci est parfaitement normal. Mais… on a perdu l'habitude de ces… corps de femmes."

Le monde entier est en train de perdre l'habitude. Et ce sont eux, Béla et Nadia, ces géomètres de l'air, qui en ont terminé avec les grâces approximatives des précédentes. Ils ont donné naissance à un bébé vorace. Les fédérations de chaque pays ont modifié les critères de notation, on aime le très dangereux depuis le salto Comaneci, les accidents évités de justesse, il faut aligner de l'inconcevable.

D'où sortent-elles, celles-là, conçues en un an à peine? Plus jeunes, plus minces et plus petites, des bolides sans rétroviseur qui ont à peine entendu parler de Ludmila et de sa grâce surannée. Maria Filatova a quinze ans, un mètre trente-trois et trente kilos, des nœuds énormes enserrent ses couettes comme pour faire oublier ses quadriceps surpuissants. Sur la poutre, son menton arrogant semble dirigé par le bout d'un câble d'acier que quelqu'un tirerait de l'intérieur de son être miniaturisé. La numéro 8, une autre Soviétique, n'est que remplaçante, mais Elena Moukhina se met debout sur la barre haute avant de se lancer dans un saut périlleux entre les barres, totalement inédit. Celles-là, nourries de Nadia, il faut en trouver et fabriquer beaucoup car là où, avant, on rattrapait un mouvement approximatif d'un coup d'épaule, maintenant, la vitesse nécessaire à l'exécution fait que ça n'est plus possible. Ça passera ou ça brisera net.

*J'évoque, dans un mail à Nadia, la ponctuation des articles mentionnant son retour un an après Montréal, ces points d'exclamation qui font concurrence aux points de suspension : "50 kg !!!!!" "Nadia, aujourd'hui,*

*est une vraie femme.................", elle confirme : "On
ne devrait pas appeler ça de la gym féminine, c'est sûr,
les spectateurs ne viennent pas pour voir des femmes...
Vous savez, si les lycras de compétition ont toujours des
manches longues, c'est pour cacher les bras des filles. Nos
biceps, les veines. Parce qu'il ne faut surtout pas avoir
l'air masculines non plus!"*

## SOUS PROTECTION

*Cet incident survenu lors des Championnats d'Europe à Prague, je le rédige une première fois sous un angle burlesque. Ce président qui donne l'ordre qu'on interrompe une compétition internationale car il trouve son équipe injustement notée fait de Ceauşescu un personnage encore plus ubuesque que nature. Nadia a lu ces quelques pages, elle semble amusée. Mais au moment où nous allons raccrocher, elle ajoute : "... Ce jour-là... c'est un détail, mais le type de la Securitate m'a prise sous son bras comme une... valise. Sans un mot."*

*Le chapitre que je réécris n'est donc pas l'histoire d'un dictateur, mais celle de ce corps-valise que juges, président et dresseurs divers se disputent et s'arrachent au prétexte de le protéger. Un nouvel épisode de ce film muet, leur passion dévorante pour une jeune fille à qui jamais personne ne demande son avis. Ce qu'elle offre depuis des années se passe de mots, peut-être. Elle est intraduisible, sans doute.*

En ce dimanche d'automne très doux, ses hôtes assoupis après un excellent déjeuner, le Camarade est devant sa télé comme des milliers de Roumains pour assister aux Championnats retransmis en direct. Béla Károlyi apparaît à l'écran, personne, dans la pièce, ne fait de commentaires sur le Hongrois de nationalité "cohabitante" (depuis peu, il est préconisé d'éviter le terme "minorités", qui hérisse le Camarade : "Nous sommes tous roumains ici, descendants des Daces, aucune division dans le pays!"). De plus, Béla rapporte des médailles et beaucoup de devises étrangères, les Américains, les Japonais et les Français ne se lassent pas des exhibitions.

Nadia vient de battre la Soviétique aux yeux de Chinoise, Nellie Kim, "même pas un nom slave, cette Jaune!" Elle rajuste son justaucorps sur ses fesses et se dirige vers le podium pour recevoir la médaille d'or. Un instant. Que se passe-t-il? La caméra zoome sur les Soviétiques qui portent Nellie Kim à bout de bras, elle envoie des baisers vers les tribunes. "On ne comprend rien de ce qui se, on... Les Soviétiques ont... gagné cette épreuve? Mais non, ça n'est pas... Ils ont gagné!?" bafouille le commentateur roumain. Le Camarade s'extirpe du canapé, bégayant, vitupérant, la voix enrouée d'émotion : "La Roumanie condamne cette... agression!! Les juges sont à la solde des Russes et de leur bâtarde!" Il est debout maintenant avec l'envie de vomir, tous sont tournés vers lui, attendent qu'il rétablisse l'ordre des choses, des enfants, tous, espérant sans cesse qu'il félicite, tance et montre le chemin.

Des sifflets s'échappent du poste de télévision, le public s'est levé, ulcéré également, la caméra va des Soviétiques à Nadia de profil, les mains sur ses hanches, les Soviétiques paraissent minuscules à ses côtés.

Il doit prendre une décision digne de cet instant historique, de ce bégaiement de l'histoire, les Russes, la Tchécoslovaquie. "Qu'on prépare l'avion tout de suite !

— L'avion, Camarade ?! Vous… partez à Prague ?

— Non, imbécile. Qu'on les ramène ici ! Interrompez cette compétition !"

On contacte aussitôt l'ambassadeur : "C'est dimanche, mes conseillers sont absents", répète-t-il avant de réaliser qu'on le somme de se rendre sur les lieux de la compétition lui-même. Sa mission : mettre fin à cette humiliation, une vraie déclaration de guerre.

*

Béla a beau se targuer de ne s'étonner de rien de la part des Soviétiques, qu'ils retournent dans la chatte de leur mère, là, une limite a été franchie. Sa vachette un peu trop grasse encore – mais il parviendra à force d'exercices à lui redonner forme humaine – vient d'écraser Nellie au saut de cheval et voilà que la voix qui sort des haut-parleurs claironne qu'il y a eu une erreur de calcul : la médaille d'or ira à Nellie et l'argent à Nadia ! Béla harangue le public : "Vous avez vu ?? Vous avez vu les chiffres danser l'entourloupe russe ? Les notes évoluent toutes seules sur le tableau d'affichage !?" Impassible, Nadia marche déjà vers la prochaine épreuve. Et elle décroche un dix aux barres asymétriques ! Il exulte, Béla, la gamine est un putain de scorpion, les filles de l'équipe roumaine brandissent le poing vers leur reine, le visage irradiant d'un plaisir féroce. Tous l'acclament, "Na-di-a Na-di-a", elle court vers Béla, il la serre contre lui, son petit cœur brutal contre son torse, il le sait, elle ne pense déjà plus à la médaille d'or qu'on vient de lui voler, mais à la suite, toujours. Une dernière épreuve, une seule, et elle peut encore remporter le titre. C'est à elle dans quelques secondes, Na-di-a Na-di-a, les juges annoncent son nom. Elle s'avance vers la poutre et ferme les yeux, inspire profondément dans le silence fracassé de flashs.

L'ambassadeur a enfin réussi à persuader les agents de sécurité qu'on le laisse s'approcher de Béla. Médusé par les visages ternes des gamines aux yeux caves d'épuisement, la maigreur de leurs cuisses, la violence avec laquelle leurs hanches cognent les barres, l'ambassadeur a à peine le temps d'expliquer la raison de sa présence : "Camarade Károlyi, je suis l'ambassadeur de Roumanie, l'avion du Camarade vous attend", que cette bête de Hongrois lui propose qu'il aille au diable, lui, son avion et le Camarade suprême aussi, avec la Roumanie tout entière à l'intérieur. Le Hongrois s'est avancé le plus près possible du plateau, haletant, les mains jointes, il murmure en direction de Nadia : "Voilà, oui, chérie, allez, oui, doucement, tu redresses et tu, dooooucement, oui…", comme s'il la guidait pour qu'elle traverse le néant. Dix! La foule chavire, amoureuse, et Béla hurle, la voix éraillée, aux sbires du Camarade qui l'empoignent, dix, dix, dix!

Elle a droit à trois minutes de repos avant la dernière épreuve, Nadia se laisse tomber sur une chaise, le dos trempé de sueur, elle boit quelques gorgées d'eau, Béla, plus loin, semble être en grande discussion avec des officiels. Les filles de l'équipe sont en train d'enfiler leur pantalon de survêtement, il fait chaud dans le gymnase, pourtant. Nadia s'étire consciencieusement les jambes, les ischio-jambiers tremblants. Alors il surgit. Lui saisit le bras sans ménagement, cet inconnu en costume gris, il est si près, cette haleine aigre, elle se raidit, balbutie : "Professeur professeur !" en direction de Béla encadré de costumes gris, puis, plus fort, pro-fes-seur, elle se débat, Béla tend son corps vers elle, s'arc-boute mais ils sont trop nombreux à le maintenir, bébé, je suis là, on va arranger ça, Nadia ne l'entend pas dans le chahut énorme de la foule qui siffle, les photographes entassés tentent un dernier cliché des Roumaines, elles marchent sans se retourner, escortées, au pas et en rang vers la sortie.

Et, en ce dimanche d'automne, les commentateurs de tous les pays répètent, stupéfaits : "On n'a jamais vu ça. Jamais. Les Roumaines quittent la compétition. Malheureusement, en son absence, la médaille d'or de Nadia sera automatiquement remise à Nellie Kim."

On les a fait rentrer dans le bus, puis on les a tassées dans l'avion privé. C'est parce qu'une guerre se prépare, frissonne Dorina, certaines pleurent dans leur siège, les autres jouent aux cartes. Il n'y a pas d'hôtesses, seule l'habituelle interprète, très agitée. Béla s'assoit à côté de Nadia. Devant et derrière eux, les costumes gris. Il pose sa main sur la main tiède, la serre doucement, la gorge entravée d'une peine étrange, les petits doigts de Nadia tiennent fermement les siens, calmée, confiante. Le pilote énonce : Trois mille. Non, cinq mille. On me parle de dix mille personnes qui nous attendent à l'aéroport ! Car le ministre des Sports l'a déclaré en direct à la radio : jamais on ne se laissera humilier par les Soviétiques.

Notre Camarade a fait revenir la fillette éplorée. En finir avec son calvaire, protéger notre bébé national, l'héroïque Nadia! L'avion s'immobilise, ils accourent vers elle, frénétiques, ulcérés, bouleversés, où est-elle, on veut la mettre à l'abri, à l'écart de ce qui l'abîme, la garder, au chaud, sous protection.

## DÉCRET 770 :
## MORTES OU VIVES

*"Nous étions le pays des enfants", m'explique Mada-*
*lina L., une universitaire roumaine que je rencontre*
*à Paris, avant de préciser qu'elle ne me parle pas des*
*pionniers communistes en gants blancs, ces mini-soldats*
*à l'enthousiasme obligatoire, mais de la façon dont on*
*embrassait spontanément les joues des gamins à belle*
*bouille dans le bus.*

*"On les prenait sur ses genoux sans les connaître, on*
*les couvrait de cadeaux même si on n'avait rien. Les*
*mômes étaient tellement soutenus, encouragés, que cer-*
*tains devenaient forcément des champions de quelque*
*chose, comme Radu Postăvaru, ce chef d'orchestre de*
*cinq ans qui faisait des tournées internationales. Ne*
*pas être exceptionnel était un drame. Et ne pas pro-*
*duire d'enfants était un délit, vous le savez, j'imagine.*

*Le décret 770... C'était... une guerre contre les*
*femmes... En 1966, Ceaușescu a fait interdire l'avor-*
*tement, il voulait de nouvelles générations, élevées sous*
*son idéologie exclusive. Ça a marché quelques années,*
*on appelait ces nombreux bébés les* decretei. *Vers 1973,*
*la courbe a commencé à stagner, parce que les femmes*

*s'organisaient comme elles le pouvaient, même si, à partir de 1975, il est devenu quasi impossible d'obtenir un passeport pour l'étranger. Puis, Ceauşescu s'est mis en tête de rembourser toutes les dettes extérieures du pays et vous connaissez l'histoire : la nourriture a été rationnée ; là, on ne pouvait pas nourrir plus d'enfants, on ne pouvait plus. Impossible. On… avait peur qu'ils meurent de faim, vous comprenez ? Alors… Il y avait celles qui avaient la chance de rencontrer des Bulgares ou des Polonaises en vacances, elles savaient, elles nous offraient leurs pilules en cachette ; on prenait ça n'importe comment, on ne comprenait pas les notices, on… Je ne peux pas… vous dire, pardonnez-moi. Si on tombait enceinte, c'était… On en arrivait à se faire… le… fœtus à… la main… Tant de mortes… Qui ont saigné dans leur cuisine, je…"*

Madalina marque une longue pause. Je propose qu'on reprenne un autre jour, *"ça ne changera rien"*, murmure-t-elle.

*"Comment vous dire, répète-t-elle, comment. Je dis « guerre » parce que… C'étaient des hommes, ces docteurs qu'on payait pour surveiller l'utérus des femmes. Des hommes, ces contremaîtres qu'on récompensait si un nombre important de leurs ouvrières étaient enceintes. Des miliciens, dans les hôpitaux, avaient l'ordre de lire les dossiers des femmes, afin de repérer celles qui étaient enceintes de quelques semaines, pour les empêcher d'avorter.*

*Vous savez ce que je ne pardonne pas à vous autres, Occidentaux ? En 1974, l'ONU a proposé à la Roumanie de présider la conférence mondiale sur la population au prétexte que nous avions su « résoudre la crise démographique » ! Alors Nadia, vous comprenez, même si elle n'y était pour rien, elle faisait partie de ça, cette publicité incessante pour l'Enfant modèle. Et l'ironie c'est que, dès qu'elle a grandi, Nadia n'y a pas échappé, elle a été « inspectée », comme nous toutes, par la « police des menstruations », ces médecins qui nous auscultaient chaque mois sur notre lieu de travail et nous pressaient de faire des enfants, encore.*

*En 1984 ou 1985, je ne sais plus où, une femme est morte après un avortement. La Securitate a obligé la famille à organiser les obsèques devant l'usine, son cadavre était exposé pour l'exemple. L'exemple… Ils exposaient aussi le corps des vivantes, comme Nadia, avec ces cartes postales d'elle partout, ses triomphes ; mortes ou vivantes, on leur était utiles."*

## RÉÉCRITURE

Le 4 mars 1977 à 21 h 22, la ville vacille. Les médias ne filmeront rien des décombres, rien ou presque de Bucarest éventré et aucune interview ne sera faite des rescapés qui se souviennent d'une nuit glaciale où "le ciel était rouge comme le sang", cette nuit où le tremblement de terre transforme la capitale en mouroir. Le silence circonscrit minutieusement la catastrophe, ce silence immense au sein duquel les Roumains n'ont aucun autre choix que celui de deviner la gravité de ce qui a eu lieu ou de l'imaginer. Des dizaines de reportages montrent Ceauşescu penché sur des blessés reconnaissants dans les hôpitaux. En réalité, lors de ses visites, il refuse de serrer la main aux survivants et exige que tout son entourage soit désinfecté.

La destruction de la ville est le point de départ de sa réécriture par le Conducator qui profite des ruines pour détruire des quartiers entiers. Car la Roumanie des paysans le dégoûte comme une saleté malodorante. Ce qui doit disparaître, ce sont les traces de la campagne à Bucarest, pas seulement les villages. Que le pays entier devienne une ville sans angle mort.

Quelques jours après le drame, on perçoit encore les gémissements des ensevelis, Ceauşescu ordonne qu'on commence les travaux.

*J'évoque avec Nadia une série de photos parues dans la presse roumaine de l'époque : elle pose avec Dorina, elles ont revêtu une combinaison d'ouvrière bleu marine et sourient à l'objectif, une pelle à la main.*

*"Vous avez aidé les secours ?*

*— … Non. Je n'étais pas en Roumanie, il y avait une compétition à l'étranger. Je suis rentrée quelques jours après.*

*— Ces photos sont donc une pure manipulation ! L'enfant modèle qui aide à la reconstruction du pays…"*

*(Elle m'interrompt.)*

*"C'est ce qu'on appelle de la « com », maintenant, non ? Je suis allée dans les hôpitaux dès mon retour ! Vous savez quoi ? On ne va jamais avancer si vous ne comprenez pas deux ou trois trucs. Tous les sportifs qui gagnent sont des symboles politiques. Ils promeuvent des systèmes. Communisme, à l'époque, capitalisme, aujourd'hui. Et chez vous…"*

*(Son petit rire à l'autre bout du fil me paraît ironique.)*

*"Vous savez que, même à l'époque, les marques qui sponsorisaient vos athlètes féminines les obligeaient par contrat à être maquillées, à privilégier les robes aux survêtements lorsqu'elles étaient en public, vous trouvez ça mieux, plus… moderne ?"*

## SEULE

Stefania s'est sentie très fière de sa fille lorsqu'elle est devenue championne de Roumanie junior, le titre avait quelque chose d'admirable et de sain. Les années qui ont suivi, Stefania a laissé le camarade professeur s'occuper de tout, elle n'avait pas la tête aux culbutes, si savantes soient-elles. Parce qu'elle pensait au lendemain matin, où il faudrait être, dès 4 heures, l'une des premières à faire la queue pour l'huile qui venait d'arriver à l'épicerie, parce que, chaque soir, elle rentrait épuisée d'avoir attendu des heures en plein soleil la viande qu'elle rapportait enveloppée de torchons – ça servira à payer le médecin –, parce qu'elle devait terminer trois pantalons pour le lendemain.

Mais maintenant. L'Europe. Le monde. Des magazines, des émissions de télé américaines. Une poupée à son effigie. Le palais des Congrès de Bucarest rempli de dignitaires du Parti, debout, qui l'ovationnent. Et ces voitures noires qui se garent de plus en plus fréquemment devant chez eux pour venir chercher Nadia ou la ramener de Bucarest. Les voitures noires qui alarment, inquiètent, qui signalent leur maison à tous. Les voisins se méfient de Stefania et elle le comprend. Parfois, lorsque Nadia dîne avec eux le samedi soir, il lui semble que le visage de sa fille arbore une autorité nouvelle, quelque chose qui exclut les confidences et les doutes. Une enfant qui ouvre la porte aux uniformes, aux voitures officielles, une invitée de marque devant laquelle on hésite à parler, une enfant qui la fixe sans sourire.

"Tu te méfies de ta fille, maintenant!" a crié Gheorghe au dîner quand elle lui a fait signe de se taire, il racontait une blague sur le Camarade entendue au garage. On ne se méfie pas de sa fille, quand même.

"Comment était Nadia Comaneci quand elle était bébé?" demande ce journaliste la semaine passée. Il prononce Co-ma-ne-ci comme si elle ne connaissait pas le nom de sa fille. Et c'est ce "Am stram gram am stram gram je te man-ge-rai je te dé-vo-re-rai" qui lui revient, ce "À qui est ce pied? À qui est cet œil? Et le ventre? Et la tête, la tête, hein, à qui on la donne?" Parfois, on jouait dans le jardin, je la retenais contre moi, toute moelleuse et essoufflée d'avoir couru, elle voulait toujours courir et tout faire seule – *singurica singura* –, se coiffer seule, s'habiller seule, sa main repoussait ma cuillère remplie de riz. Et Gheorghe répétait ça aux voisins, ah ça, elle sait ce qu'elle veut, bien sûr, pour lui, c'était facile d'admirer ça, moi aussi, j'essayais de l'admirer, mais cette volonté d'un bébé de trois ans de s'éloigner sans cesse de moi, comme pour me prouver mon inutilité, me donnait parfois envie de dire, je ne la connais pas, ça n'est pas la mienne.

Elle n'était pas avec nous autres, voudrait-elle répondre au journaliste. Elle était seule.

## MALADIE

À qui est la cuisse? Et ce ventre? Nadia soulève son tee-shirt devant la glace précautionneusement. L'envie de pleurer l'assoit sur le tapis de sa chambre, elle inspire profondément pour que ça passe, une nausée de tristesse. Pas envie. Plus envie. Elle est traversée de peine. Sa vie, dure comme un vaillant train télécommandé, s'enraye. L'obéissance n'est qu'une des pièces détraquées et manquantes du puzzle parfait de sa vie précédente, parmi celles-ci : cette faim permanente qui rend le sommeil difficile (rêver qu'on mange et s'éveiller à l'aube terrorisée d'avoir failli manger), les mains entamées d'ampoules et de minuscules coupures jamais refermées, les cuisses tatouées de bleus ancrés dans les veines et ces muscles dont les fibres lâchent, tendons claqués toujours rattrapés de justesse par les indispensables codéine et cortisone.

Elle voudrait s'absenter. Ne pas être obligée d'être là quand le professeur donne les chiffres en centimètres et en kilos de sa Maladie. Le mieux serait d'attraper une vraie maladie, d'être obligée de rester au lit et de dormir sous une couverture qui étoufferait totalement l'extérieur. Le sommeil est aujourd'hui le seul espace où se défaire quelques heures de son chagrin. Cette trahison inacceptable, un uppercut ricanant et elle aimerait bien les trancher, ces trucs – elle ne prononce pas le mot seins –, cette reddition qui la précipite vers les autres : les filles du lycée. Auxquelles Dorina a tellement le désir de ressembler aujourd'hui, alors qu'elles étaient d'accord, avant, pour convenir que ces filles sont molles molles molles, du *rahat*\*! On peut s'enfoncer en elles comme dans des coussins, confortables. Et aujourd'hui, elle en vomirait, d'être devenue, elle aussi, confortable. Laide. Informe. Elle se manque, oh, oui elle se manque, et ce petit rituel aussi, auquel Nadia s'adonnait jusqu'à l'été dernier, le soir dans son lit : passer sa main sur son ventre tendu par les mâts que formaient les os saillants de ses hanches et, s'endormir alors, rassurée.

Ça progresse. Le Mal la recouvre, lape sa vie passée, doucement. Dernière apparition de la Maladie : vendredi dernier lorsqu'elle s'élance vers le saut de cheval. Tout paraît normal. Mais dans sa course, quelque chose d'autre se met en branle, un mouvement ridicule et tressautant : une chair supplémentaire qui ne fait pas partie d'elle, mais dont elle sent chaque tremblotement, chaque répugnante cellule graisseuse autonome. Elle stoppe sa course. Explose en sanglots sans se relever du sol où elle s'est laissée tomber lourdement, sous le choc d'une nouvelle avancée de la Maladie, les autres pâlissent de l'outrage insensé dont elles sont témoins, dans ce gymnase où jamais elles ne protestent ni ne se plaignent.

Et cette organisation, ce qu'il faut comme temps, maintenant, pour tenter de garder sa Maladie secrète

---

\* Confiserie roumaine.

encore : ces protections épaisses qui alourdissent ses culottes, qu'elle cache, entre le mur et les étagères de sa chambre où sont rangées ses poupées, ses coupes et ses médailles, des amas de tissus et de coton tachés. Elle ne se résout pas à traverser la cuisine devant ses parents (compatissants et déçus, la fée leur manque déjà) avec "ça" à la main et à le jeter dans la poubelle de la cuisine, comme une composante normale de sa vie, entre les épluchures de patates et le quotidien de la veille. Elle attend la fin d'après-midi, dissimule le paquet enveloppé de journaux sous son pull, pour s'en débarrasser comme d'un fâcheux témoignage dans la poubelle tout au bout de la rue. Elle est devenue une criminelle aux doigts sanglants et aux culottes disgracieuses.

Et tous ont l'air d'espérer que l'incident soit provisoire, pas cette lèpre qui l'envahit sous leurs yeux. Ils se tiennent à distance, Béla, son père. À la fin de la journée, s'il est satisfait, Béla hisse les fillettes sur son dos et il court dans le gymnase, elles rebondissent en riant, le visage rougi de plaisir. Je ne pourrai plus de toute ma vie être à califourchon sur des épaules, se dit Nadia en les regardant, peut-être qu'il craint qu'elle ne suinte à travers ses collants, elle aussi a peur que quelque chose ne s'écoule d'elle sans qu'elle n'y puisse rien, elle est fendue, élargie. Sa sueur aussi semble s'être alourdie, le soir, elle renifle ses aisselles, stupéfaite d'y retrouver l'aigreur tenace qui imprègne la blouse de sa mère. Malade. Débraillée de l'intérieur. Béla tapote ses omoplates maladroitement pour l'encourager, il cherche sans doute un espace d'elle qui ne soit pas atteint. Tout ça se reprend, Márta l'a promis, un jour qu'elle l'a trouvée en larmes dans les vestiaires. Avec la médecine d'aujourd'hui, tout est possible, ma chérie.

Mais non. Elle était l'invincible et ça n'a rien à voir avec les médailles. Elles étaient toutes invincibles, sèches et rapides, il y a un an à peine, elles frappaient le sol de leur course, elles se jetaient dans la poussière, se roulaient dans l'herbe, elles sautaient dans la rivière en slip de bain, elles se serraient contre leur père, elles se léchaient les doigts, l'été moldave les autorisait à manger des glaces pour le dîner, elles surplombaient le temps. Elles échapperaient à tout.

Maintenant le temps rétrécit. Elle se rétrécit. Ses pensées se racornissent, celles d'une ménagère mesquine dont les idées se cognent à des murs toujours plus étroits, il faut prendre tant de précautions pour éviter d'être prise en faute, elle croise une jeune fille en pantalon clair dans la rue et aussitôt elle pense à la possibilité du tissu souillé, son corps s'est transformé en machine molle dont elle craint les dysfonctionnements. Elle voudrait simplement suivre sa route, mais la route aussi a été modifiée par la Maladie, hérissée de problèmes et de dangers nouveaux. Elle se voûte pour ne pas attirer l'attention des types de l'âge de son père qui fixent sa bouche quand elle lèche le cornet, le coup d'œil avide du balayeur du gymnase quand elle salue en bombant le torse, son père qui recule légèrement son bassin lorsqu'elle se jette contre lui, et il l'embrasse sur le front en la repoussant doucement.

Sa grand-mère l'a grondée dimanche dernier alors qu'elle était allongée à plat ventre par terre, en chemise de nuit, pour regarder la télé : "Tiens-toi correctement, tu n'as pas honte!", tout en jetant un regard furieux vers grand-père assis dans son fauteuil derrière elle.

Cet après-midi, elle a séché l'entraînement, comme avant-hier, elle est si fatiguée. Où elle est ma championne, a gémi sa mère, tu ne vas pas rester à pleurer dans la salle de bains toute ta vie, reprends-toi et donne-moi ça à laver, tu as sacrément transpiré, est-ce que tu n'aurais pas une infection là où tu sais ma chérie, tu sais que maintenant tu dois impérativement protéger ton maillot.

*

Elles nouent leur sweat-shirt autour de leur taille au cas où, et se lèvent précautionneusement en jetant un œil discret à la chaise, ne pas laisser de trace. Brutalement expatriées de leur royaume, les ex-petites filles flottent entre Est et Ouest et s'effacent, tandis qu'on rédige à leur place un mot d'excuse et d'absence désodorisé. Désolé, elles ne pourront plus participer.

FIN

Deux hommes sont sortis d'une voiture noire immatriculée à Bucarest. Ils se sont assis dans le salon des Comaneci. But de la visite : éloigner, à sa demande, car elle ne supporte plus ses méthodes, Nadia du Hongrois et de sa campagne puante et arriérée, la confier à un entraîneur moderne, au nom roumain, à Bucarest. Nadia sera ainsi plus accessible aux demandes, car tout le monde continue de vouloir voir la gamine. Et rabaisser enfin le caquet du pedzouille qui, depuis Montréal, se croit indispensable et braille sans se soucier des représailles : "Si ça ne vous plaît pas, venez entraîner ces merdeuses vous-mêmes."

Ils vantent la capitale, le nouveau gymnase ultramoderne et le lycée d'un très bon niveau. L'internat tout neuf et la possibilité, bien entendu, qu'elle revienne pour les vacances scolaires. Sa mère s'essuie les mains avec un torchon parfaitement repassé, s'excuse du parquet luisant qu'elle vient de cirer, elle est si fatiguée, ces dégâts que Nadia crée de ses fracas, oui, c'est peut-être une solution de prendre des distances avec M. le professeur. C'est un essai, une séparation à l'amiable, personne ne se fâche, ma chérie. Son père reconduit les membres de la Fédération à la porte, fier de ces discussions au sommet, tout ça pour sa fille et son avenir. Il est trop tard ce soir-là pour prévenir Béla. Elle partira dès le lendemain matin. Nadia laisse pour Dorina une feuille de papier que sa mère lui portera : "Je vais habiter à Bucarest!! Tu viendras me voir!!!! Ta Nadia."

Le lendemain matin, l'aube éclabousse le gymnase qui se remplit de voix aiguës, tour à tour elles saluent Béla, s'enduisent les mains de magnésie avant leurs échauffements journaliers. Tout est effacé déjà. Son nom NADIA COMANECI sur le casier. Son nom COMANECI NADIA sur les feuilles de présence. Ce matin, très tôt, arrachée à lui sans préavis, sa petite, douloureusement un peu moins petite.

On prépare les Championnats du monde. Le pianiste prend place. Une nouvelle s'échauffe, son visage est décharné et son corps si sec qu'il ne parvient pas à produire de sueur. Geza vient s'asseoir à côté de lui, ils regardent en silence la nouvelle. Geza demande doucement : "Tu sais, n'est-ce pas?" Béla hoche la tête. Puis, les deux hommes se taisent, laissant un morceau de mélancolie ravissant, *that's my baby baby*, quelques notes de charleston d'avant 1929, un parfum irrattrapable serpenter entre eux deux.

*Quand je relis mes notes, l'épisode me paraît clair : Nadia se rebiffe contre Béla et sa discipline, ils se disputent constamment. Ceauşescu, lui, cherche une occasion d'amoindrir le pouvoir de Béla, qui, sous surveillance et sur écoute, n'a plus peur de rien, pas même de la Securitate. La décision est prise : elle s'entraînera à*

Bucarest. Béla, vexé, quitte Oneşti et s'installe à Deva, au nord, afin de mettre en place une nouvelle école, une "fabrique de médailles".

J'envoie à Nadia cette version. Non, répond-elle, c'est inexact. Elle n'avait pas réellement le désir de s'éloigner, c'est le régime roumain qui a pris cette décision sans la consulter, ils détestaient Béla.

Quelques jours après notre échange, un magazine roumain publie un article qui contredit sa version et infirme la mienne. Le document issu des archives de la Securitate évoque des courriers répétés qu'elle aurait adressés à l'époque aux autorités, les suppliant de la muter à Bucarest car elle est à bout. Et lorsque le Parti s'oppose à leur séparation, car ils craignent que sans lui elle ne commence à perdre, il est fait mention des menaces de suicide de Nadia si on ne la sort pas de là.

À l'autre bout du fil, elle se tait. Puis, sèchement :

"Vous allez lire quoi, après? Des journaux à scandale? Allez-vous finir par me faire confiance? Les dossiers secrets de la Securitate sont vos sources, vraiment?

— Ces dossiers peuvent être consultés maintenant, avez-vous lu celui qui vous concerne?

— Non.

— Vous le ferez un jour?

— Jamais. Jamais. Je n'ai pas envie d'apprendre ce que je ne veux pas savoir, d'ailleurs, ceux qui y sont allés ont été détruits par ce qu'ils ont lu.

— Ah… Qu'ont-ils découvert?

— Bon. Tout le monde ou presque allait rapporter ce qu'il connaissait de ses voisins à la Securitate pour être tranquille. On n'avait pas trop le choix. Mais certains ont découvert récemment que leur mari ou leurs enfants les surveillaient pour le compte de la Securitate… Alors, qui croire? Ces dossiers sont remplis des *mensonges de tous ceux qui cherchaient à s'en tirer le moins mal possible!"*

*Je raccroche avec la sensation qu'en terminant notre conversation là-dessus, elle cherche à me faire douter de toutes les versions que je lis, indépendamment de la sienne.*

BUCAREST

Camarade coach, c'est ainsi que les filles du Dinamo l'appellent, mâchonne du chewing-gum anglais, pas celui fabriqué ici, qui s'effrite en boulettes au bout de quelques secondes ; il tape ses rapports pour la Securitate à la machine, impeccables. "Nous travaillerons le mental, tout est dans le mental", leur explique-t-il le premier jour, souriant. Il rend hommage à Béla, ses résultats et ses méthodes "solides, à l'ancienne", comme on vanterait un bœuf qui traîne une charrue brinquebalante.

Tout est neuf dans le gymnase, les douches sont rutilantes et une masseuse se tient à la disposition des filles. Nadia s'entend bien avec Livia, la fille d'un membre important du Parti, toujours accompagnée de sa suivante qui rit de ses blagues au bon moment et applaudit son amie à la poutre. Comme Dorina et toi, fait remarquer Livia.

Dorina, qui lui écrit deux fois par semaine. Chaque jeudi et chaque lundi, Nadia reçoit ces lettres que Dorina parfume (la vaporisation alcoolisée décolore le papier et défigure l'encre, ces mots sont alors très soigneusement réécrits). Dorina qui n'utilise que des

majuscules : EST-CE QUE TU PENSES À NOUS (moi?).
Dorina qui affronte les conséquences de la Maladie
aussi, elle inscrit ce qu'elle mange sur un carnet (j'ai
atrocement FAIM, si tu savais), va courir à 6 heures
du matin avec Márta dans les bois et a choisi de ne
rien tenter de nouveau pour ces championnats (si je
réussis déjà à caser mon GROS cul dans un justaucorps et à ne pas ridiculiser le pays…).

La Maladie de Nadia, elle, s'est faite plus douce.
Elle y pense à peine. Pas le temps. Le soir, Livia
l'emmène danser dans des clubs où il y a peu de
Roumains, surtout des Français et des Américains,
Nadia demande qu'on passe *In the Summertime* de
Mungo Jerry et elle ne boit qu'un seul cocktail, une
absurde fidélité à Béla.

Tu t'appelles Nadia, comme la gymnaste? font-
ils, incrédules. Elle est "comme la gymnaste". La
semaine dernière, un garçon (un homme!) la serre,
ils dansent, son genou s'insinue entre ses jambes, sa
respiration très chaude contre ses cheveux, elle n'a
aucune idée de ce qu'elle devrait faire comme geste, il
dit "Ne fais pas le bébé, fais pas ta difficile, dis donc
t'as des bonnes fesses, hé t'as baisé avec un Américain à Montréal? Putain! Ces bleus que tu as, un
gars t'a cognée ou quoi?", elle couvre rapidement
ses cuisses, embarrassée.

À qui est ce pied? Et la tête, à qui, la tête sur
laquelle il appuie pour qu'elle fasse quoi, et elle se ras-
sied dans la voiture, légèrement nauséeuse, les joues
très rouges, il lui tend un mouchoir pour qu'elle se
nettoie. Elle se concentre, s'applique pour ne pas voir
dans ces postures quelque chose à améliorer, raffi-
ner. Les cuisses écartées comme un poulet qu'on va
farcir. Tellement disgracieux, cette immobilité – il lui

tient les genoux, donne des indications, oui comme ça, bébé, voilà, elle tente de s'exécuter au mieux. Ça ressemble à une opération pour laquelle il est recommandé de se détendre avant d'être incisée. La fine couche de graisse dont elle a laissé son corps se recouvrir pour passer inaperçue n'y change rien, il lui empoigne l'avant-bras et s'esclaffe : "Oh merde, faut que je me tienne à carreau, tu me battrais au bras de fer, toi."

Parfois, Livia récupère un numéro du magazine français *Elle* que sa mère reçoit par l'intermédiaire d'une femme de diplomate. Elles tentent de le lire à l'aide d'un dictionnaire : "Les articles parlent des problèmes de drogue, affirme Livia, parce qu'à l'Ouest, ils prennent beaucoup de drogues et ils regardent des pornos en famille parce qu'ils sont tous au chômage, leur nourriture est empoisonnée par les saletés du capitalisme, surtout le lait de leurs vaches, et les femmes sont moins payées que les hommes pour les mêmes métiers, les sportives, elles, sont obligées de se mettre nues à la télévision pour gagner leur vie."

Quand elles vont au cinéma, boulevard Magheru, on ne les fait pas payer, il suffit que Nadia signe les tickets qu'on lui tend. Elle l'explique nonchalamment à Livia, ses parents signent les papiers du divorce, elle, elle signe tout, des chèques de toutes les formes dans la ville.

Nadia a appris cette expression récemment "On ne va pas en faire tout un foin" et l'a utilisée dans sa lettre à Dorina où, entre ses récits sur l'ambiance pop de Bucarest, elle lui annonce que ses parents se séparent. C'est sa mère qui a écrit pour le lui dire. Elle se sent vide, si terriblement creusée d'absences, de choses déjà finies. Et partout, à vendre, cette carte postale "Nadia à Montréal!" Parfaite. Mieux que mieux n'existe pas. Alors, elle détourne l'attention de sa tristesse, lui offre de l'inédit : des feuilletés au fromage frais fourrés de raisins secs et des beignets au chocolat chaud, du champagne. De l'inédit, ces nuits trop courtes rattrapées par des comas de sommeil de quarante-huit heures. Elle titube. Recule, descend de la poutre, son corps devenu une prison au lieu d'une arme.

Mais on lui avait promis qu'elle serait plus libre en quittant Béla, et cette promesse, les responsables de la Fédération la tiennent : camarade coach ne note pas ses absences répétées aux entraînements, ne surveille pas ce qu'elle mange, ni ses nouveaux amis ni à quelle heure elle se couche. Pas la peine. Car devant la porte de sa chambre, dans le couloir, en permanence, des "gardiens d'immeuble" se relaient.

## COMME S'ILS ÉTAIENT À L'INTÉRIEUR

Les quatre agents de la Securitate qui la surveillent, ses voisins de palier et aussi le vendeur de l'épicerie où elle fait ses courses sont formels : Nadia a bien acheté une bouteille d'eau de Javel mardi en fin d'après-midi, prétextant une lessive à faire, alors qu'elle en avait fait une la veille.

La bouteille d'eau de Javel. Misérable détail technique. Sans panache. Pas de barbituriques marilynesques ici, on prend ce qu'on a sous la main. Ce qu'on trouve en magasin.

Béla, lui, se montre pragmatique lorsqu'il évoque l'épisode dans ses Mémoires, la voilà, la vérité : exaspérée d'être constamment surveillée par la Securitate, la gamine a porté la bouteille d'eau de Javel à sa bouche, mais c'était un geste de défi, certainement pas une tentative de suicide, et elle a tout recraché aussitôt dans le lavabo en hurlant, heureusement, les agents ont forcé la porte de sa chambre et l'ont emmenée à l'hôpital. Pas de quoi s'affoler.

Livia, immédiatement convoquée en haut lieu, avoue en pleurant : oui, elle a suggéré à Nadia de dire aux autorités qu'elle se suiciderait à l'eau de Javel si on ne la laissait pas retourner chez elle.

Le groupe D 12 de la Securitate prend acte de son passage à la polyclinique où elle aurait consulté un médecin pour "brûlures d'estomac" sous un nom d'emprunt, sans que celui-ci ne la reconnaisse. Interrogé, le médecin a déclaré : "La grosse, là ? Évidemment que non, ça n'est pas elle du tout !"

*"Bon. Il faut que vous m'éclaircissiez un peu, je ne m'en sors pas... Vous avez affirmé récemment que l'histoire du suicide était fausse, et qu'en réalité, ce jour-là, vous aviez bu du shampoing « par erreur », et tout le monde s'est affolé, vous y compris. Pardon, mais... Comment fait-on pour boire du shampoing « par erreur » ?"*

*Elle pouffe. J'éclate de rire. On passe.*

*"Et comment Béla a-t-il pu donner sa version des faits puisqu'il n'était pas avec vous à Bucarest ?"*

*(Je crois entendre son sourire.)*

*"Ah ! Béla prétend me connaître comme « s'il m'avait faite ». Comme s'il était à l'intérieur... "*

*Nous parlons longuement de ces six mois passés à Bucarest pendant lesquels elle s'évade de son corps puissant pour goûter à un destin "normal" d'adolescente. J'attends qu'elle évoque d'elle-même l'épisode de sa disparition, une étrange évasion de quarante-huit heures dans un Bucarest en état de siège pour la retrouver. Je tourne autour du sujet, elle ne dit rien. Je n'insiste pas. J'écris l'épisode. Lui envoie. Elle ne le commente pas.*

Et ça, est-ce arrivé ? Ou alors, ce n'est qu'une rumeur, une autre, car il y en a tant qui circulent, maintenant que les gens savent que la Fée habite à Bucarest.

Le président du Mexique souhaite, pour son anniversaire, qu'on lui amène "la petite". Des extraits de Montréal, oui, ça sera parfait. La transaction est effectuée. Mais : elle ne se présente pas au dernier entraînement avant le départ le lendemain. Oh, elle n'est pas toujours assidue, rétorque camarade coach aux officiers de la Securitate.

Qui l'a vue ? On fouille le gymnase, au cas où elle s'entraînerait dans un coin. On questionne un par un les assistants. Les jeunes filles de l'équipe. Les agents qui patrouillent devant son studio ne l'ont pas vue depuis deux jours : "Elle est peut-être malade ? Au lit, incapable de répondre au téléphone ?" On frappe à la porte. Rien. On ouvre la porte. La chambre est vide. On avertit la police. "Introuvable ??, s'étonne le ministre du Sport et de la Jeunesse, pourquoi pas morte, aussi ? Ne me dites pas que cette morveuse que tous connaissent ici peut disparaître !" On prévient l'Intérieur. On ferme les frontières du pays. On instaure un état d'urgence en secret, l'armée fouille chacun des quartiers de la ville. Sans résultat. Impossible d'avouer au Très Estimé Camarade que Nadia a disparu. On inventera une indisposition qui l'oblige à rester là, il faut se rendre au Mexique sans elle.

Elle réapparaît à l'aéroport, quelques heures avant le décollage de l'avion. Le président du Mexique l'aura, sa fête d'anniversaire. Dans l'avion, elle dort la bouche ouverte, se réveille pour aller vomir aux toilettes, puis elle pleure et se rendort, recroquevillée sur sa veste de survêtement chiffonnée qu'elle serre contre elle. On raconte que la Securitate l'a retrouvée dans le lit d'un chanteur à la mode de près de cinquante ans. À moins qu'il ne s'agisse d'un poète proche du pouvoir. À moins qu'on ne l'ait retrouvée dans un parc où elle aurait passé la nuit, seule.

*Je décide de ne pas lui faire lire mes notes issues d'un autre document d'archives secrètes, qui détaillent comment, sans elle, Béla perd la tête, ferme l'école d'Oneşti et s'en va à Deva. La façon dont il devient la risée des jeunes entraîneurs, ce type trop lourd infoutu de faire la roue qui refuse d'admettre que Comaneci n'est pas née de lui, c'est peut-être lui qui s'est trouvé sur le chemin de Nadia, voilà tout.*

*Il frappe celles qui tombent lors des entraînements, il théorise, le conflit fait naître les championnes, il enrage, qu'elles le combattent, ces mauviettes! Il instaure de nouvelles lois, les filles resteront dans le gymnase, il fera venir les professeurs de l'école, terminés, ces déplacements inutiles, elles ne seront jamais hors de sa vue, pas même une matinée. Il engage une assistante chargée de fouiller les sacs et les poches des professeurs, chaque matin, pour s'assurer que ceux-ci ne nourrissent pas les gymnastes en cachette. Jusqu'à ce que Béla reçoive un appel de la Fédération bien embarrassée : Nadia supplie qu'il vienne la chercher à Bucarest, la reprendre. Il part aussitôt.*

MONSTRE

"Où est-il, camarade coach cool, je tiens à lui adresser mes félicitations en personne, des félici- tations mo-der-nes et pleines de psy-cho-lo-gie !!" Béla triompherait bien, s'il n'était pas furieux de tout ce gâchis : Nadia ne s'entraîne presque plus depuis huit mois, un désastre. Le type du minis- tère qui lui fait face, un de ceux qui lui ont ôté Nadia, cligne des yeux rythmiquement, l'embar- ras, sans doute, d'être forcé de nommer Béla "chef de l'équipe des Mondiaux" à la place du jeune.

"Une précision, toutefois : Notre Très Estimé Camarade veut revoir les mêmes fillettes qu'à Mont- réal. Il veut Nadia, Dorina : l'équipe d'or ! Vos nou- velles, personne ne les connaît. Faites le nécessaire, professeur, le pays compte sur vous…"

Revoir les mêmes ? Mais elles sont mortes, les mêmes ! "Quelles fillettes ?? Des bonnes femmes mollassonnes à la chatte collée de foutre qui se prélassent depuis des mois ! Des foutues cé-lé- bri-tés !" Et qu'on lui colle pour l'éternité, "sans doute jusqu'à ce qu'elles soient ménopausées", hurle-t-il à Márta, quand il la retrouve à Deva.

Il lui reste six semaines avant les Championnats du monde.

MONSTRES

Veux-tu revenir, Nadia? Avec moi?

Elle pleure doucement, des sons étouffés qui rythment le silence. Il a soigneusement mis de côté la jupe et la paire de collants qui traînent pour s'asseoir à côté d'elle sur son lit. Il lui prend la main, lui fait le récit de leur vie ensemble, presque neuf années, sans s'attarder sur ce 10 qui la prend au corps et à la gorge depuis des mois : "Bébé! Sais-tu que, pour commencer, tu as disparu? Tu te rends compte, tu m'as quitté dès que je t'ai repérée dans la cour de l'école... Mais je te retrouve toujours!"

Il pensait alléger leur entrevue mais voilà qu'elle pleure, inconsolable. Veux-tu revenir, Nadia? Il repose la question, elle se tait, tout est recouvert de cendres, de fin et de graisses, l'enterrement que c'est, cette Maladie. Il est debout maintenant, on jurerait qu'il entame une oraison.

Ça sera une torture. Un massacre. Une invasion programmée centimètre par centimètre, on décapera tout ça, voir ce qu'il reste là-dessous, s'il reste quelque chose. Veux-tu revenir Nadia?

Quand il s'en va en fin d'après-midi, il salue les quatre surveillants qui fument dans le couloir et à l'un d'eux qui veut savoir : "Alors ? Vous la trouvez comment ?", Béla répond : "Je vais te dire mon garçon : la semaine dernière, pendant la démonstration, on m'a prévenu qu'elle était dans le public et je ne l'ai pas vue. Aujourd'hui, elle m'a ouvert la porte, et là, j'ai réalisé que, oui, je l'avais vue !... Mais pas reconnue, parce que... C'est un monstre, mon garçon, un putain d'énorme monstre !" et il salue en s'éloignant, remercié de sa tirade par des éclats de rire.

*Dans son journal intime de l'année 1978 dont elle m'envoie cette page photocopiée, certains mots sont écrits plus gros et soulignés en bleu : "Dès demain je DOIS de nouveau croire en Béla. J'ai HONTE affreusement honte d'être devenue un monstre." Et, plusieurs fois recopiées en lignes régulières, ces phrases :*

*"Je ne vais pas tourner le dos à ce qui me fait peur. Je fais face, parce que la seule façon d'échapper à ma peur est de la piétiner.*

*Je ne vais pas tourner le dos à ce qui me fait peur. Je fais face, parce que la seule façon d'échapper à ma peur est de la piétiner.*

*Je ne vais pas tourner le dos à ce qui me fait peur. Je fais face, parce que la seule façon d'échapper à ma peur est de la piétiner."*

## SANS PLUS RESPIRER

Chaque jour à l'aube, il vient la chercher dans cette maison située sur les collines de Deva, où elle s'est installée avec sa mère et son frère cadet, elle a refusé de vivre à l'internat avec les autres. Après une heure de course, trois heures d'entraînement léger. Puis, courir de nouveau, enveloppée d'une combinaison sudatoire ; elle a ensuite droit à un massage et enchaîne avec une séance de musculation, une demi-heure de sauna et, pour finir, une dernière course. Elle retente quelques enchaînements aux barres asymétriques sans réussir à stabiliser aucun mouvement.

"Tu voulais une vie normale, eh bien ça y est, tu es devenue une grosse vache normale, et tes cellules graisseuses protestent ! Elles n'ont pas envie que tu sois ce tank", fait Béla, souriant, en lui assénant une claque sur les fesses pour qu'elle y retourne.

Le soir, elle ne peut plus marcher et gît dans son lit sans parvenir à s'endormir tant elle a mal. À plat dos, elle passe la main le long de ses côtes, impatiente de les sentir se dessiner nettement. Affamée, elle s'éveille vers 4 heures et attend qu'il soit 6 heures pour se faire un thé, les migraines en fin de soirée la soulagent car, pendant quelques heures, la sensation de faim s'atténue sous la douleur. Tout est redevenu comme avant. Les premiers jours du programme, elle a dormi chez Márta et Béla qui l'ont "remise en route", salade et fruits uniquement accompagnés d'eau glacée qu'elle boit à petites gorgées, le liquide serpente dans son œsophage, cette transparence de l'estomac vide.

Si tu fais ce que je te dis, on y arrivera. Béla sait. Lui qui connaît exactement ce qu'elle a "là-dedans" et il plaque sa main sur son ventre. La vie qu'elle a expérimentée ces mois derniers à Bucarest est un brouillard clos, maintenant, de nuits désordonnées et de sucres rapides. Béla devine même l'issue des Mondiaux de Strasbourg dans huit jours. Rien. Du bronze peut-être aux barres, mais au sol, non ; parce que être mignonnette avec tout ce qui ballotte ici, tes mamelles, impossible, elle s'arrête de respirer quand il pose un doigt sur sa poitrine couverte de la veste de survêtement.

## FORME HUMAINE

Une équipe de télévision américaine obtient, après deux mois d'attente, l'autorisation d'interviewer Márta. Le jeune journaliste d'ABC aux cheveux mi-longs voudrait intituler son documentaire *La Fabrique à médailles*, le film durera environ une heure.

"Nadia mesure aujourd'hui un mètre cinquante-six, dit fièrement Márta en lui tendant quelques photos datant de Montréal. Vous la reverrez bientôt!

— Quand?", insiste l'Américain.

"Quand elle aura repris forme humaine!" répond Béla à Márta qui lui pose la question.

Le reportage est projeté juste avant les championnats. Il dure quinze minutes, un quart d'heure enthousiaste sur ce merveilleux couple d'entraîneurs roumains à la tête d'un mignon gang de moineaux surentraînés, elles sourient à l'objectif, leurs doigts ouverts en V, victoire promise. Après la diffusion, la Fédération américaine de gymnastique adresse un message de félicitations à la chaîne, la remerciant d'avoir tenu compte de leurs remarques : ce nouveau montage est plus positif que le premier, le passage sur la méthode de M. Károlyi était inutile et très désobligeant.

*Nous pouvons envoyer un homme sur la Lune mais nous*
*sommes incapables de faire évoluer une petite fille sur*
*une poutre! Il est temps que ce pays sache produire des*
*gymnastes qui montrent la force inhérente à notre fibre*
*nationale. Étant donné que nous ne bénéficions pas de*
*centres de formation nationaux de haut niveau subven-*
*tionnés par l'État, il faut trouver ce que nous pouvons*
*emprunter à la méthode roumaine.*

Los Angeles Times, *éditorial, 1979.*

*"Incroyable, cet article, non, qu'en dites-vous Nadia,*
*les Américains rageaient de ne pas vivre sous un régime*
*communiste!"*
*Je l'entends qui remue une cuillère dans sa tasse,*
*sans un mot.*
*"Bon... En 1981, les États-Unis accueillent Béla qui*
*a fui la Roumanie. Trois ans plus tard, l'équipe améri-*
*caine remporte la médaille d'or devant les Roumaines.*
*À votre avis, Béla a-t-il appliqué les mêmes méthodes*
*aux États-Unis qu'en Roumanie?*
*— Évidemment. Et il a obtenu des championnes.*
*Pas de miracle.*
*— Et pas d'états d'âme des Américains..."*
*Elle se tait, il me semble qu'elle sourit.*

## STRASBOURG

Ils disent : elle n'est plus l'écolière qu'on notait d'un 10 sur son cahier de gym et qui jouait à la poupée devant la planète entière. Ils notent : elle a coupé ses couettes et rangé ses rubans, ses formes gonflent son maillot. Ils font preuve d'indulgence : la croissance est un "moment de relâche très compréhensible", elle a "attrapé" seize ans, après tout. Ils comptent : une médaille d'or à la poutre, une chute aux barres, moins de rapidité au saut même si elle a perdu cinq kilos cet été avant de venir. Ils s'émerveillent : avez-vous vu cette Portugaise qui ne pèse que vingt-neuf kilos !

La jeune femme sera convoquée devant eux tous rassemblés dans la salle de presse, sévères. Ils attendront des larmes et des excuses, elle sourira pour les amadouer : "Heureusement que j'ai changé, à Montréal, j'avais quatorze ans. Je suis tout à fait… normale pour mon âge." Puis, poliment, une hôtesse soucieuse de l'ennui affiché de ses hôtes : "Vous… avez d'autres questions ?" Alors, ils remarqueront ses mèches blondies et avant de passer à une autre interview écriront rapidement dans leur carnet une dernière fois ce mot, encadré de guillemets – Nadia C. mort d'une "fée", tandis qu'elle, pour sa défense, doucement protestera : "… Je ne pouvais pas mesurer éternellement un mètre quarante-sept… Non ?"

Elle leur donnera rendez-vous dans huit mois, en mai à Copenhague. Ils s'y rendront malgré leur déception. Ils iront et retomberont amoureux. Parce qu'elle sera revenue. Le match Roumanie-URSS de nouveau en faveur des Roumaines, grâce à elle. Ses cheveux châtains partagés en couettes, exactement les mêmes qu'à Montréal, nouées de rubans rouges, un signe. Ils pardonneront presque à la gamine qu'ils auront de nouveau envie d'appeler la gamine, en dépit de son mètre soixante et un. Ils seront bluffés et émus aussi en pensant à ses efforts immenses pour effectuer ce véritable come-back : quarante-cinq kilos, quatre kilos de moins qu'à Strasbourg, dossard 62. Elle s'est "reprise" ! Le dernier jour de la compétition, elle fera son autocritique devant eux d'une voix chuchotante, non, elle ne touche à aucune sucrerie, oui, elle a rajouté des difficultés inédites et il y en aura d'autres à Moscou, oui. On vantera son intelligence d'avoir compris que "si elle avait continué à s'épanouir sans y mettre le frein, elle aurait disparu des sélections !" Nommée championne d'Europe pour la troisième fois dans le Brøndby Hallen, elle démentira ceux qui affirmaient que la gymnastique était une somme de "difficultés ne pouvant être maîtrisées que par des éléments aux segments courts et ignorant la peur : des petites filles".

Certains tenteront de gâcher la fête en mentionnant le visage épuisé de la Soviétique Elena Moukhina, ils s'entendront dire que "le réservoir des Russes est si vaste qu'ils ont des possibilités infinies".

Et la maigreur de Nadia, le creux de ses cuisses, son extrême pâleur émaciée? Le problème sera abordé avec l'entraîneur en conférence de presse et il saura trouver une explication : "Nadia, c'est vrai, a perdu ses joues de bébé, mais surtout, ses traits se durcissent lorsqu'elle se concentre."

Interviewée par la BBC, à la question : "En 1978, vous êtes revenue au premier plan. Vous n'étiez plus une petite fille mais une… femme?", elle répondra, embarrassée, une alcoolique repentie : "Oui… C'était mon… grand problème." Elle racontera ensuite comment elle a passé neuf jours sans manger, simplement boire de l'eau tout en s'entraînant pour perdre ces dix kilos de trop. On la félicitera chaleureusement de sa volonté. On l'applaudira et on lui offrira une poupée de collection.

## MEXICO, FORT WORTH, TEXAS

*Ma chérie, j'ai reçu tes trois dernières lettres ce matin et lu comme un livre bien triste vos mésaventures mexicaines. Peut-être que lorsque tu recevras celle-là, tu seras guérie!*

*J'ai vu Dorina hier, on a parlé de toi. Elle m'a promis qu'elle te regardera à la télévision, tu vois, elle n'est ni fâchée ni même triste de ne pas avoir été sélectionnée, je crois bien qu'elle a rencontré quelqu'un! Je dois arrêter ici, des pantalons à terminer pour demain. Les pommiers sont en fleur et avant, à cette époque de l'année, nous* (les phrases suivantes sont rayées très méthodiquement, les mots illisibles). *Ici, tout va bien. Mille baisers à ma grande.*

*Maman.*

La maison me manque. Tu me manques. Tout est dégueulasse et ça pique. J'ai mal au ventre. Je suis fatiguée. Je dors encore moins qu'à la maison.

Voilà que son robot, Mme la Princesse polaire, comme sa mère l'appelle, se plaint sur des pages entières, affolée d'être détraquée, nauséeuse à cause d'un virus qui touche toute l'équipe dès le premier jour de leur arrivée à Mexico. Ce séjour de quatre semaines prévu pour se préparer tranquillement à la température, à l'humidité du Texas et à l'équipement des salles américaines, ces matériaux qui accentuent la vélocité des acrobaties au sol.

Ces mois glorieux ont-ils laissé en suspens un amas de jours aigris qui surgissent là, tous en même temps? Ces trois mois durant lesquels Béla entérine le statut à part de Nadia dans l'équipe, la laisse choisir la musique de son exercice au sol ainsi que les abdos qu'elle juge les plus utiles. Le lundi, il ne la pèse plus avec les autres, alignées dans le gymnase, la bouche sèche à l'idée d'hypothétiques grammes pris pendant leur week-end. Il lui propose même d'entraîner une recrue de dix ans qui vient d'arriver. Si on le taquine sur la liberté qu'il accorde à Nadia, Béla répond qu'il l'a tellement gavée des années durant, qu'à présent, il n'a qu'à la laisser déverser ce qu'il a fait rentrer. Et ça marche. Trois mois au cours desquels elle n'éprouve rien et gagne tout. Même la faim et la fatigue ne sont que des tracas provisoires dans ses journées, elle a rarement été si affûtée, passe d'un podium à l'autre. Les autorités lui renouvellent des autorisations de sortie du territoire sans discuter.

Mais ce que Nadia n'écrit pas dans la lettre à sa mère, c'est cette impression que les autres complotent. Un matin, il lui semble qu'une morveuse s'entraîne à effectuer "sa" sortie. Dès qu'elle s'approche des barres où évolue la maigrichonne, celle-ci saute à terre et s'éloigne nonchalamment. Et maintenant, ce virus. La plupart d'entre elles ont de la fièvre et vomissent dès qu'elles tentent d'avaler quelque chose. Dans l'avion, surexcitées à l'approche de la compétition, elles braillent leurs résultats, ces chiffres, moins quatre, moins cinq et moi, moi, moins cinq et cinq cents grammes! Les kilos perdus depuis Mexico.

Au lendemain du premier entraînement en public à Fort Worth, Béla, atterré, découvre la presse : "L'équipe de Károlyi a perdu ses charmes! Un amas d'araignées exsangues, des mini-vampires des Carpates, une armée d'enfants livides et affamées! Où sont les poupées gracieuses et souples qu'on a connues autrefois?" Aucun journaliste n'a pris la peine d'ajouter ce que Béla leur a pourtant expliqué : cette maigreur est le résultat d'un virus. De ça, il devra répondre devant la Fédération roumaine et le Comité central.

## ENDOGÈNE

C'est une infection. Quelque chose d'à peine visible il y a quelques jours, qui progresse, prend ses aises. Et qu'elle a aggravé elle-même en faisant comme d'habitude, comme si ça n'existait pas. Nadia fait profession de ne rien entendre.

Rien entendre quand, elle a huit ans à peine, elle chute des barres et Béla s'énerve, il lui montre un cafard qui avance maladroitement entre les matelas et lui chuchote "On dirait toi !"

Rien, quand il la traite de vache enceinte répugnante, un tank, à son retour de Bucarest. Ne rien entendre, quand Béla parle avec dédain d'Emilia, au visage creusé de se faire vomir chaque soir : "Emilia est une paresseuse ! C'est plus facile, ça, que d'avoir le courage de se tenir à son régime. Tant pis pour elle !" Rien remarquer, rien, pas même les chevilles enflées des nouvelles qui quémandent leur novocaïne quotidienne à l'infirmerie. Pire, elle gronde, de la même voix que Béla, une des filles qui envisage de déclarer forfait, une radio a révélé qu'une de ses vertèbres est légèrement fêlée. "Serre les dents et vas-y, quatre-vingt-dix secondes, qu'est-ce que c'est !"

172

Elle travaille pour lui. Elle répand sa parole, elle est la preuve vivante de ce qu'il professe, ce miraculeux possible, voyez. Et voilà qu'elle est contredite dans sa mission. Après avoir rabaissé le culot de la Maladie, après avoir escamoté les preuves et réussi à mettre fin à ses répugnantes manifestations sanglantes, dont sa mère disait à tort qu'elles étaient "inévitables", voilà autre chose : une boule rouge sur son poignet. Elle appuie dessus fort, jusqu'aux larmes, pour libérer le poison. Son poignet tonne sourdement. Chaque fois que la plaie frotte contre la barre, cette blessure faite avec la boucle d'acier de son protège-main se rouvre. Barres, magnésie et sueur, ce mélange, la trilogie de son existence. Au deuxième jour des épreuves, elle ne peut plus plier le bras. Béla force un peu, elle gémit, jamais elle n'a gémi avant. Fais comme tu peux chérie. Il n'ordonne pas, il propose, explique-t-il posément à un journaliste qui s'enthousiasme de la performance de Nadia, la veille.

L'échauffement commence. Nadia empoigne les barres, tente un équilibre et son bras cède, elle s'effondre au sol. À la pause, Béla les réunit dans le salon réservé à l'équipe roumaine. Notre très chère Nadia ne pourra pas nous aider, les enfants. Il se tourne vers elle, assise, le bras en écharpe, le teint terne et les joues trop rouges, une allergie aux shoots de cortisone qu'on lui administre trois fois par jour pour désenflammer son sang. Des cris, des pleurs, on leur a enlevé les petites roues de leur vélo, on a décroché leur totem, Nadia ne sera pas avec nous ! Et il a beau user des graves de sa voix pour pénétrer les enfants de sa puissance : "Vous pouvez gagner ! Mes scorpions !! Quoi ? Vous avez la frousse de ces enfoirées de Russes?", elles baissent la tête, sanglotent. "Mathématiquement, nous n'avons aucun besoin de Nadia, nous avons des points d'avance. Et Nadia, si d'aventure elle participait finalement, rajoute-t-il, a eu des scores si magnifiques hier (elles répètent en chœur, oui, magnifique, Nadia, magnifique), elle pourrait tomber, hein, et plusieurs fois, même et gagner malgré tout!" Béla fait s'infiltrer les mots : elle gagnerait. Si. Ou quand. Elle participe.

Elle secoue la tête. Non, cette fois, non, Béla, non, elle montre son bras énorme et dur, aussi douloureux qu'une dent enragée. Elle aimerait qu'il y ait un arbitre, pas des juges, toujours des juges. Quelqu'un qui attribue à sa souffrance la note méritée et le droit de ne pas concourir. Sans avoir de doutes.

"Tu es sûre chérie? Vraiment? Bien. Je comprends", répond-il, déjà de dos à elle, se hâtant vers les juges. Ils lèvent les yeux au ciel. Encore lui. Son show permanent, ses outrances, ses poings qu'il lance vers eux dès qu'il s'estime floué. Ses jurons. Ses démonstrations d'affection vers les gamines dès qu'il y a une caméra à proximité. Il leur donne la liste des gymnastes. Nadia est inscrite à chacune des épreuves. La chef des juges s'étonne : "… elle va donc concourir?" Béla lève les bras au ciel, prend Dieu à témoin, les larmes aux yeux, sa princesse est si brave, "elle imagine qu'elle ira mieux dans l'après-midi, je sais que non, mais que faire, je l'ai inscrite par principe et par respect pour elle qui a tant donné à l'équipe".

Le règlement est clair : une gymnaste qui ne se présente pas est disqualifiée. En revanche, si elle se lève à l'annonce de son nom et touche chaque agrès de la main, elle signale qu'elle participe toujours à la compétition. À chaque rotation, Nadia (à qui

Béla a glissé au dernier moment qu'il a rajouté son nom, "ça fait meilleur effet") se lève, salue le jury (le simple fait de lever le bras lui déclenche une nausée), et, devant les spectateurs ébahis, va se rasseoir. Elle pose ses mains sur les barres, une partie de la salle se met à l'applaudir, immédiatement, dans son dos, Béla se dresse et il tape dans ses mains, encourage le public : "Donne, donne-leur, vas-y, allez bébé, vas-y", jusqu'à ce que Béla et le public soient rappelés à l'ordre par les juges.

## PLEASE WELCOME
## THE INCREDIBLE NADIA

Qu'est-ce qu'une infection ?

"L'invasion d'un organisme vivant par des micro-organismes pathogènes qui se multiplient. Une infection est soit locale soit généralisée ou encore exogène. C'est-à-dire due à des germes qui proviennent de l'environnement. On considère qu'une infection est endogène pour les germes provenant du patient lui-même. Une infection se développe avant tout quand il existe une faiblesse des défenses immunitaires naturelles de l'organisme. Débute alors une compétition entre les capacités de défense immunitaire d'un individu et le pouvoir pathogène des germes. Les défenses immunitaires varient dans le temps et surtout en fonction de nombreux critères comme par exemple la fatigue, le manque de sommeil, le stress, les carences alimentaires, etc. La dangerosité d'un germe est, quant à elle, fonction de l'inoculum, c'est-à-dire du nombre de germes qui infectent un organisme. Ainsi donc, une infection se développera d'autant plus que les défenses immunitaires d'un individu sont affaiblies et que l'inoculum sera intense."

Elle est inoculée. À moins qu'elle ne sécrète le poison toute seule, qu'elle ne le fabrique sans y prendre garde depuis longtemps et ne s'affaiblisse ainsi à lutter contre elle-même.

Le médecin de l'équipe parlait il y a quelques jours d'un bobo, on en a vu d'autres, la fatigue et le stress fabriquent le poison et la force de l'esprit détruit le poison. Elle est trop faible, poreuse depuis la Maladie, molle molle molle depuis ce séjour chez camarade coach qui l'a laissée s'engraisser jusqu'à devenir un putain de monstre, papa sait dompter les monstres, chérie! Bats-toi! Béla lui a appris à se battre tout en lui ôtant toute capacité à se battre contre autre chose que ce qu'il lui pointe du doigt. Il l'a tellement parcourue, calculée, estimée. Il y a quelques semaines, il scrute ses seins écrasés par le maillot : "Tu n'auras pas tes « problèmes » ce mois-ci, mon bébé, tu peux être tranquille."

À qui appartient ce qui se produit cet après-midi-là à Fort Worth ? À la personne qui prend la décision ? À celle qui propose cette solution ? À la personne qui a intérêt à ce que la décision soit prise ? À celle qui ne sait plus décider, tant elle est habituée à obéir ? Est-ce que Béla a obligé Nadia ? Est-ce que Béla a proposé à Nadia de choisir entre deux solutions et l'une d'elles était inenvisageable, il le savait, en réalité, il n'y a pas eu de choix ? Qu'est-ce qu'un choix ? À qui est ce corps.

Qu'elle offre finalement, ce jour, dans ce stade bondé du Texas, aux spectateurs qui l'ovationnent à l'annonce de sa participation-surprise à la poutre alors qu'elle a déclaré forfait pour le reste. Et tout de suite, ils se taisent, parce qu'ils comprennent qu'ils vont assister à quelque chose d'inédit, plus excitant que jamais, *please welcome the incredible Nadia who has just decided to/in spite of*.

Son bras bandé signale l'exploit, là où il faudra fixer son regard.

Elle prend une grande inspiration. Les flashs, des insectes qu'on jetterait au feu par poignées, chahutent l'ombre et, un instant, l'aveuglent. Double pirouette sur la poutre. Rester concentrée pour réécrire. Tes jambes comme des pinceaux, chérie. Calculer l'espace et le poids de l'air, au fur et à mesure, elle invente l'équilibre nouveau.

Les voilà totalement muets, vingt mille silences qui laissent la place au grondement de son sang malade, un goût exécrable lui remonte en bouche, quarante-cinq secondes, la moitié, l'horizon fait la grimace, elle assène au bois des suites de saltos arrière réalisés sans les mains, son bras malade lourd et immobile, ça y est, bientôt fini, elle prépare sa sortie, les chiffres et les angles fusent dans sa tête, ces calculs, tout repenser sans cette main, ce saut pour lequel elle a besoin de l'appui de ses deux paumes en travers de la poutre pour se propulser au sol, cette fois, une seule main la déséquilibrerait, la ferait pencher trop à droite, oh jusque sous la gencive et les sinus le battement purulent s'accentue, elle prend son élan et lance avec force son corps émacié à l'horizontale, s'aidant précautionneusement des trois doigts de sa main bandée.

Et elle ne tombe pas.

Ovationnée, son entraîneur la porte en triomphe entouré de gamines hystériques, il la hisse en plein dans la lumière si vaste et chaude qu'elle ferme les yeux, la tête renversée en arrière. Au moment où un 9,95 s'affiche, pratiquement la note maximale, Nadia est déjà dans l'ambulance qui l'emmène en urgence à l'hôpital de Dallas, on l'opère sous anesthésie générale, l'infection s'est propagée dans tout le bras, on craint pour son cœur.

Au réveil, elle demande une feuille de papier et un stylo, ou elle rêve qu'elle demande une feuille de papier et un stylo. D'abord, noter le point de départ : Rodica est tombée de la poutre. Ce dont Nadia se souvient : quelques mots de Béla, sitôt Rodica à terre, du genre "On ne va pas laisser les Soviétiques s'emparer du titre. Est-ce que tu peux y aller Nadia, dis-moi si tu peux." Béla. Qui écrira, plus tard, dans ses Mémoires : "J'ai dit à Nadia : as-tu déjà pensé que tu avais des obligations envers l'équipe ? Eh bien, tu en as. Car les petites, elles, n'ont eu droit à aucune reconnaissance ! Et à Márta et moi, tu t'es déjà demandé si tu nous devais quelque chose ? Toutes ces années… Si oui, aujourd'hui, Nadia, fais quelque chose d'extraordinaire…"

Mais que faire de ce que Béla affirme aux juges, une fois la compétition terminée : "Je n'ai jamais demandé qu'elle exécute son programme entier, avec toutes les difficultés ! Incroyable ! Sur une seule main… Elle m'a bluffée, pas vous ?" Ces juges fort mal à l'aise d'avoir vu, noté et accepté la prestation de Comaneci visiblement très malade.

Ils sont plusieurs, médecins, infirmières et deux officiels roumains, autour du lit de Nadia, elle a très soif et semble anxieuse de parler au chirurgien, un Américain qui sent le citron et s'adresse à elle en détachant soigneusement ses mots, soucieux qu'elle comprenne la gravité de son état. Elle porte seule l'entière responsabilité de sa décision, un sens du devoir, lui répète-t-elle, "oui c'est ça, mon-sieur le ca-ma-ra-de docteur, être une athlète de… pour nous, en Rou… manie, si on ne souffre pas, c'est qu'on n'est pas… allée… au bout. Rien d'héro… ïque mais! Une dé… cision prise dans la confiance Papa. Pa-pa? Nooooon… Docteur pardon."

Non, continue-t-elle laborieusement, Béla ne lui a pas fait courir des risques déments ce jour-là. Et ces "dommages permanents" que le chirurgien brandit, Béla n'en savait rien, elle le jure.

Ils sortent de la pièce, l'entendent poursuivre son monologue d'une voix amollie de calmants : "C'est MON choix d'obéir. TU me fais toujours croi… re que je peux tout faire. Ou alors… Le choix… Je ne le ne sais plus com… ment com-ment car je suis infestée. In-FEC-tée pardon." Plus tard, elle appelle l'infirmière de nuit, qu'on fasse venir son interprète, qu'on pré-pare une conférence de presse, mais l'infirmière ne comprend pas, elle lui apporte un verre d'eau pétil-lante. Nadia pouffe en pensant aux bobards de Béla, ce discours grotesque, nanana qu'est-ce que tu nous dois Nadia, nanana toutes ces années. Alors qu'elle ferait tout! Toutes prestations sans protection! Si je ne me tue pas en le faisant je suis toujours prête! Papa mon entrée sur la poutre j'ai inventé une autre parce que je Mon Dieu impossible de terminer le récit. Ses mots, le lendemain matin, sont illisibles.

*"Quelle imagination! On jurerait que vous étiez avec moi dans la salle de réveil… J'ai une cicatrice, vous savez, le long du bras? J'ai pensé à quelque chose en lisant ce passage : quand j'étais petite et que les gens apprenaient que je m'entraînais six heures par jour, j'étais cette « pauvre petite fille ». Si j'avais été un garçon,*

personne ne m'aurait plainte, non ? Vous connaissez ce vieux dicton, le sport fera de toi un homme, mon garçon ! Pas valable pour les filles ? Moi, j'aimais ça, combien de fois il faudra que je le certifie, j'ai choisi.

— Je crois que ce que vous me racontez là n'a rien à voir avec ce qui s'est joué à Fort Worth. Ce n'est pas grave. N'en parlons plus. »

TÉMOIGNAGE DE RODICA D.

"Geza et Béla dormaient dans notre chambre. Et si on avait besoin d'aller à la salle de bains on devait faire pipi la porte ouverte.

— Pourquoi?

— Ils avaient peur qu'on boive trop d'eau et qu'on pèse plus lourd. Nous, on attendait avant de tirer la chasse, on montait sur les toilettes avec un verre à la main et on buvait l'eau de la citerne. Quand on prenait une douche, ils nous surveillaient, on n'avait pas le droit de lever la tête…

— Que mangiez-vous avant les compétitions?

— Le matin, une fine tranche de salami, deux noix et un verre de lait, le soir, la même chose, sans les noix.

— Avez-vous déjà eu des problèmes de santé importants?

— Plein! Pied cassé, épaule cassée et d'autres trucs. Je me souviens, quand j'ai eu mes règles pour la première fois, l'infirmière m'a fait une piqûre, après, je ne les ai pas eues pendant un an."

*"… Qu'est-ce que c'est que ce… Mais qu'est-ce qu'elle raconte? On était bichonnées! La seule chose qu'on*

182

avait à faire, c'était de s'entraîner. Nos chambres étaient chauffées, nettoyées et on était nourries gratuitement. L'anorexie?… Les laxatifs? Les diurétiques? Oui, pour être gymnaste, il faut être légère! Les accidents? Il y en a, mais pas tant que ça. Si on compte. Elle est « dévastée », la fille? Honnêtement, qu'est-ce que c'est ce mot? Les blessures? Ça arrive, si une fille n'a pas de chance ou qu'elle est mal préparée. Et la seule fois où j'ai… je n'ai pas écouté les signaux de douleur, c'était à Fort Worth.

Je sais que ça va vous étonner, mais c'est aux États-Unis que les pires choses sont arrivées, parce que leurs écoles de gym sont privées et chères, et les filles ont tout de suite eu besoin de sponsors et d'agents, il y avait de l'argent en jeu. Elles doivent gagner pour rembourser les emprunts que font leurs parents, ils s'endettent pour des années, là-bas! L'investissement que les parents font, ajouté à l'obsession du rendement… Kristie Phillips se sentait « tenue pour responsable de sa puberté » quand elle a commencé à perdre parce qu'elle avait grandi. Betty Okino s'est cassé le bras en compétition parce qu'on l'a fait s'entraîner avec un début de fracture pour ne pas perdre l'argent du sponsor! Kelly Garrison a concouru avec un pied cassé, pareil. Et elles faisaient toutes le yoyo avec leur poids, nous, en Roumanie, on n'allait pas bâfrer à l'épicerie du coin parce qu'il n'y en avait pas et qu'on n'avait pas d'argent! C'est vrai, certaines gymnastes prennent de l'ibuprofène tous les matins. D'autres prennent systématiquement des antidouleurs le jour de la compétition. Est-ce que c'est bien? Non. Est-ce que j'ai déjà fait ça? Oui. Est-ce qu'on m'a forcée? Non! Je sympathise avec celles qui se sentent détruites par ce milieu mais je n'ai aucune empathie.

— Je peux marquer ça, Nadia?

*— Oui, vous le pouvez. Ça serait formidable si on découvrait qu'en travaillant très peu on pouvait gagner, hélas, ça n'est pas le cas. Vous avez le temps de noter, ah c'est vrai vous enregistrez tout, et moi qui saute du coq à l'âne, désolée. Il n'y a pas que la chimie, vous savez, Béla envisageait tout... Tenez : on était suivies par un psychologue, il nous faisait faire des puzzles pour voir au bout de combien de temps on se lassait, il testait notre capacité à rester devant quelque chose qui nous résistait. Béla invitait des passants à l'entraînement, les encourageait à faire du bruit, à crier : « Nadia! Mariana! » pour nous déconcentrer. On a même tenté nos programmes sans s'échauffer au cas où on soit un jour dans cette situation. On était prêtes à tout. Des monstres!" (Elle rit.)*

*Comme elle sait que j'écris de façon chronologique, elle se doute certainement que nous allons aborder les Jeux de Moscou, en juillet 1980.*

*"Si vous étiez rompue à tout, on ne peut pas incriminer, pour votre chute du 23 juillet 1980, les bandes de militaires que les Russes avaient placées dans les gradins et qui chantaient « Nadia tombe tombe tombe » lors de votre passage?*

*— Quoi?... Je n'ai aucun souvenir de ça!*

*— Bon... Et qu'avez-vous pensé lorsque à Moscou Béla Károlyi a giflé Melita R. après sa chute à la poutre?*

*— Qui vous a raconté ça? Peut-être que c'est arrivé, moi, j'avais autre chose à faire que...*

*— Est-ce que vous attribuez ce... dérapage au fait qu'il savait que s'il ne rapportait pas un excellent résultat en Roumanie, on lui fermerait son école?*

*— Un excellent résultat? Qu'est-ce que c'est, un excellent résultat? Les gens disent les gens disent... Vous savez quoi? Certains prétendent qu'à Moscou je n'ai pas réussi... Quatre médailles, l'or pour le sol et la poutre et l'argent*

*en équipe! Et? J'ai reçu plein de lettres de gens qui, en Roumanie, m'accusaient de les avoir ruinés, je leur devais un nouveau poste de télé! Ils l'avaient balancé par la fenêtre tellement ils s'étaient angoissés et énervés en attendant mes notes. Les gens, ce qu'ils disent…*

*— Je suis d'accord. Vous étiez extraordinaire à Moscou, vraiment. Une théorie intéressante, je trouve, c'est celle selon laquelle, en 1976 à Montréal, votre innocence, après tout, vous étiez une enfant, combinée à votre perfection technique, a en quelque sorte contaminé les juges, comme s'ils n'osaient pas magouiller face à votre image de pureté apparente…*

*— Pureté? Les embrouilles autour de mes notes à Moscou, vous les attribuez à quelque chose d'«impur» chez moi parce que je n'étais plus une gamine? Je ne comprends pas. Écoutez, je ne suis pas sûre qu'on puisse continuer. Vous noircissez le tableau! Les zones d'ombre, les zones d'ombre! Vous, vous m'obligez sans cesse à juger. Je refuse d'être la juge de quelqu'un d'autre!"*

*Sur ce, elle raccroche, fâchée, nous ne nous parlons plus pendant trois semaines. Puis, je reçois une carte postale, elle est en vacances, en post-scriptum, ceci: "Béla est allé très loin avec moi mais j'avais mis en place une défense. Par exemple: je savais que je pouvais faire quinze longueurs de piscine, je disais à Béla que je me sentais capable d'en faire dix; comme ça, j'en avais cinq en réserve. Il n'a pas pu me briser parce qu'il n'a jamais su où étaient mes VRAIES limites, je ne les ai jamais dévoilées."*

*Pourquoi persiste-t-elle, des années plus tard, à nier ce que les autres dénoncent, pourquoi se désolidariser, pourquoi ces empilements de versions officielles, pourquoi cet acharnement à batailler, contester la moindre* faiblesse, ces vantardises de surpuissance, "moi je n'ai jamais pleuré", cette réécriture constante de tout ce qui pourrait la faire pencher du côté de la "pauvre gamine".

Je fais la connaissance de X, un journaliste roumain qui ne souhaite pas être cité. Selon lui, elle avait une conscience aiguë d'elle-même, millimétrique. La clé de sa supériorité technique était cette capacité à effectuer des calculs mentaux ultra-rapides pour se corriger et ajuster le tir tout en continuant le mouvement.

Bien sûr, c'est moi qui la rappelle et, bien sûr, je ne fais aucune allusion à notre dispute, ne montre aucun agacement. Je lui fais simplement part de ma rencontre. Elle acquiesce avec enthousiasme, ravie de me dévoiler une infime partie de sa "recette", un secret de fabrication : "C'est très juste ! Je réussissais à me corriger en cours de route pendant l'enchaînement, oh c'était invisible, redresser une épaule, le port de tête, personne ne remarquait rien !

— Vous falsifiez vos erreurs en douce, on peut dire ça ?

— Oui, exactement. Je réécris tout ! Mais... discrètement !"

MOSCOU, *IN MEMORIAM.*
ELENA M. 1960-2006

Comaneci Nadia, dossard 50 inscrit dans le dos du justaucorps décolleté en V, s'avance vers la poutre. Renvoie dans l'ombre les fées et ces vieux contes emplis de fillettes apeurées qu'on doit guider pour ne pas qu'elles s'égarent, victimes de leur légèreté. Elle congédie l'enfance et réécrit l'espace de ses mains effilées, passe comme un fil de soie et dessine du pied un grand soleil renversé, l'envoûtement s'invite au travers de leurs flashs, elle sera l'intouchable. Un moment, sur la poutre, aucune musique ne retentit dans le forum, elle évolue dans le silence. Et c'est un repos si vaste, cette étendue, elle paraphe l'air de ses bras sinueux, les mains s'élancent à l'aveugle en arrière, coup de pied au soleil et renversement. Et voilà qu'au moment où elle prépare sa sortie, surgit ce à quoi il ne faut pas penser, jamais, sous peine d'être envoûtée, kidnappée par l'image de la nuque qui heurte le bois, la tête la première contre la barre. L'absence d'Elena s'immisce. Elena l'orpheline, que ses entraîneurs considéraient comme une remplaçante et qui avait pourtant tout gagné à Strasbourg.

Elena tombée quelques jours avant l'ouverture des Jeux, lors d'un entraînement. On murmure qu'elle a été forcée de recommencer trop tôt, avant que l'os ne se ressoude. On ne sait rien de l'accident, sauf ceci : le salto Thomas, sa spécialité, elle l'effectuait à reculons (en se signant en cachette dans le dos de son entraîneur). Un jour je me briserai le cou monsieur le professeur. Non Elena les filles comme toi ne se brisent pas le cou. Les filles comme toi ne finissent pas en fauteuil roulant dans une chambre, la nuque putain de brisée net paralysée du cou jusqu'aux pieds après un super E et il faudra attendre un an puis deux, dix et encore dix avant de crever la veille d'un Noël, des "suites de l'accident".

Nadia plonge, sa jambe en arabesque derrière elle, un long soupir tracé au pinceau. Puis, son pied droit pointé devant, elle se détourne des mortes, des battues, tous ces sanglots de filles fracturées, et posément aligne – flic flac – les cartes de mauvais sort retournées, vaincues, une fois de plus, elle les salue, ils sont debout, follement aimants, bouleversés d'avoir goûté à l'odeur terrible d'un mauvais sort repoussé.

## UN PROCÈS
## ET SON VERDICT BIOLOGIQUE

"Chère Nadia. Tu étais mmmmm quand tu faisais ce geste de la main à la fin de ton exercice au sol. Mon chaton mécanique. Aujourd'hui, la Nadia, elle a dix-huit ans, elle porte un soutien-gorge et doit se raser les aisselles", conclut l'éditorialiste du *Guardian* dans son article daté de juillet 1980.

On s'offusque, celui-ci, tout de même, pour un peu, il inspecterait ses culottes, hein! Non, vraiment, ça va trop loin. Alors que tout ceci est rationnel : même si on espérait qu'elle passerait au travers de son destin biologique, tout simplement, "La petite fille s'est muée en femme et la magie est tombée", titre un quotidien français, tandis qu'un autre propose : "De grande gamine, elle est devenue femme. Verdict : le charme est rompu."

*Quelle est cette magie dont ils portent le deuil, un procès hormonal, ce verdict qui enterre un rêve obsédant, celui d'un corps qui, lorsque vous saluiez les juges, n'offrait aucun relief sauf des côtes saillantes sous le tissu serré. Ainsi, la mue montrée du doigt serait une*

*faiblesse que vous vous montrez incapable de surmon-*
*ter, un affront fait à ceux-là qui caressaient du regard*
*votre peau duveteuse, quelque chose dont il n'a jamais*
*été question dans le contrat amoureux qui vous lie à*
*la terre entière depuis 1976.*

## MOSCOU 23 JUILLET 1980

On n'offrira pas de brevet d'honorabilité à l'URSS, on n'ira pas ! Mines offusquées, débats enfumés, on parle beaucoup et très fort sur les chaînes de télé occidentales. On brandit des révélations qui n'en sont pas, comme si on venait de les déterrer et qu'il n'y en avait jamais eu de si sales.

Quelques semaines à peine après l'annonce de l'invasion de l'Afghanistan par les troupes soviétiques, le 27 décembre 1979, suivie de l'annonce de l'assignation à résidence d'Andreï Sakharov à Gorki, on se réunit pour trouver un arrangement qui pourrait contenter l'opinion internationale et les contrats engagés par l'industrie olympique. Enfin, on parvient à tracer les lignes d'un semblant d'accord cabossé : on ira. Mais on ne participera pas à la cérémonie d'ouverture. On ira. Mais on arborera le drapeau olympique à la place du drapeau français, portugais ou britannique, toutes ces quinze nations qui ne peuvent pas se permettre d'annuler leurs multiples contrats, et qui choisissent, en cas de victoire, de faire entendre l'hymne olympique plutôt que leurs hymnes respectifs, rétifs à être joués en URSS.

*

"Où est ma poupée, qui m'a pris ma poupée", pleur-nichent-ils, réunis dans le lobby des journalistes du stade Lénine après la prestation de Nadia. Non, ils ne se laisseront pas abuser, ne se laisseront pas refi-ler celle-là à la place de l'Adorable. Peu à peu, leur déception fait place à une colère aigre, c'est qu'elle a avalé le passé, la légèreté de l'été 1976 et ce "Rou-ma-nie" qu'on prononçait avec émerveillement, gour-mand de son accent et de la façon dont elle resserrait l'élastique de sa queue de cheval, son regard presque vide avant d'entrer en action, un jouet implacable, toujours OK!

On procédera aux formalités avec le respect dû à une ancienne fée qu'on pousse doucement vers la sortie, elle qu'on ne sait plus comment appeler, un écureuil? Sûrement pas. Un oiseau, peut-être, cet alba-tros aux "abattis envahissants" qui tombe, le 23 juil-let 1980, photographiée en première page de tous les quotidiens. Ce jour où Comaneci est tombée. Sur le dos, sa main tendue vers une aide qui ne viendra pas, un corps disgracieux engoncé de lui-même.

Tombée hier et déjà de retour ce matin, aux barres asymétriques, un joyau dédaigneux qui force l'ordi-nateur à rejouer des virgules : 10,00. Ça n'est qu'un dernier sursaut avant la fin, explique-t-on, docte. Mais voilà un autre 10, à la poutre. Elle est encore reine, soit, mais "belle et triste" de sa fin annoncée (parce qu'on l'a écrite et faxée au journal, cette fin). Une reine fêtée hâtivement avant qu'on ne l'in-vite, finalement, à se conformer au verdict, ce jeudi 24 juillet.

Un verdict conclu avant le procès. Une chasse à courre dont l'hallali sonne trop tôt, des virgules agitées par des mains gantées pour ne laisser aucune trace, et des juges se disputant ses restes, les derniers bons morceaux d'un corps embarrassant qu'on fait mine d'évaluer. Car Nadia est hors sujet. Elle et Nellie Kim, vingt-trois ans. La Maladie est passée par Nellie aussi et les Russes ont nettoyé l'équipe de ses stigmates comme Béla l'a fait ; il suffit de garder une seule fille en phase terminale d'enfance pour prouver qu'on n'a rien contre elles. Les dix-neuf ans de la nouvelle sensation soviétique Davydova sont une faute pardonnée, car ses hanches sont minuscules et ondulent comme devant un charmeur de serpent, elle jette un regard à ses entraîneurs qui l'encouragent d'un clin d'œil, quatre-vingt-dix secondes de *porn* enfantin et malicieux.

*La semaine dernière, elle m'appelle, pour moi, il est minuit passé. C'est au sujet de Moscou, elle murmure.*

*"... Je sais que vous allez dire que je refuse de commenter ce qui est important mais pour moi Moscou, c'est... doamnă\* Simionescu. Et c'est ma dernière compétition, vous savez, alors, j'ai pensé..."*

*Elle plaide. Une fillette qui manœuvre pour que j'écrive l'histoire qu'elle a envie de lire — s'il te plaît s'il te plaît, raconte-leur Mme Simionescu. La juge principale roumaine qui a également été la première maîtresse de ballet de Nadia enfant, à Oneşti.*

*"Ce n'est pas que je veuille éviter de parler du boycott... Qu'est-ce que j'en savais, moi ? On se prépare pour les Jeux, on nous dit l'Ouest ne vient pas, car il y a*

---

\* Madame.

*la guerre en Afghanistan. De toute façon, à l'époque, les Américaines n'étaient pas des rivales dignes de ce nom, et en Roumanie, on n'avait besoin d'aucun événement supplémentaire pour détester les Russes. Que faisaient-ils semblant de découvrir, les Occidentaux, là ?*

*— Vous saviez en arrivant que ça serait votre dernière compétition ?*

*— Non… Un peu, peut-être. J'étais si fatiguée. Ça… continuait, ils répétaient que j'avais changé. Je connaissais certains de ces journalistes depuis Montréal et j'aurais bien aimé leur faire remarquer qu'eux aussi avaient changé !*

*— Ça a été la dernière fois qu'on vous a vue avec Béla…*

*— Vous savez quoi ? (Triomphante.) Le 24 juillet, il a pleuré."*

## MME SIMIONESCU

Mme Simionescu n'a aucune preuve de ce qui est en train de se dérouler là, sous sa gouvernance de chef des juges, ce titre dérisoire qui, en réalité, ne lui confère aucun pouvoir. Dire quoi? Que lorsqu'elle est entrée ce matin dans le salon où ils prennent leur café avant les compétitions, certains juges paraissaient gênés? Et l'allocution du représentant de la Fédération soviétique au petit-déjeuner n'a rien fait pour la tranquilliser, ce "chaque olympiade comporte ses impératifs géopolitiques".

Il serait déraisonnable de croire à un arrangement. Mais pourquoi, alors, ont-ils fait patienter Nadia vingt minutes et autorisé Yelena Davydova à se produire? Une chance pour la Soviétique qui a évité la pression d'une éventuelle trop forte note de Nadia. Pourquoi la note de la Soviétique est-elle apparue presque instantanément après son salut? On dirait qu'ils l'ont notée pendant qu'elle évoluait.

Et maintenant que Nadia est sur la poutre, elle ne voit que leurs crânes baissés sur les feuilles de papier, ils écrivent fébrilement. Que notent-ils? Pourquoi?

Ils sont en train de la disséquer. Il leur faut trouver de quoi parvenir au verdict qu'"on" leur a dicté. Les longs bras de Nadia, une milliseconde, battent l'air : a-t-elle presque perdu l'équilibre après les saltos arrière ? Et son genou, n'y a-t-il pas eu l'amorce d'un tremblement lors de sa pirouette ? Notons : hésitation.

Maria Simionescu attend les notes. Béla attend les notes, serein. Sa Nadia a été imparable. Dix minutes. Vingt. Vingt-cinq minutes de délibérations, la foule crie "DA-VY-DO-VA" face à un groupe de Roumains : "NA-DI-A." Un petit homme vêtu du tee-shirt officiel s'agace, on perd trop de temps, il regarde sa montre, impressionnant de réalisme, c'est qu'on y croirait presque, à ses grands gestes agacés vers les juges est-allemand, tchèque, soviétique, bulgare et roumain en plein conciliabule. Des officiels soviétiques, seconds rôles indispensables à la crédibilité de la scène, vont et viennent d'un air préoccupé. La salle entière siffle maintenant. Béla hurle au public de se taire, tend le poing vers eux, un ultime show de fou furieux. Discrètement, ses entraîneurs félicitent Yelena Davydova, elle leur fait remarquer que la note de la Roumaine n'a toujours pas été affichée.

Et Mme Simionescu. Qui a donné ses premiers cours de danse classique à Nadia. Qui, en larmes, froisse les bouts de papier qu'on vient de lui remettre enfin, les résultats de Comaneci. Non, répète-t-elle à celui qui regarde sa montre, Iuri T., non, ça n'est pas moi qui le ferai, non je n'appuierai pas sur le bouton qui officialisera ce chiffre honteux, mensonge, sur le panneau d'affichage. Rien ne peut se faire si elle ne valide pas le résultat. Et ils sont si nombreux à l'entourer maintenant et à lui enjoindre d'être raisonnable, des gens qu'elle ne connaît pas, alors, chère camarade, alors ? Des centaines de caméras tiennent en joue Nadia, une rangée de photographes, l'appareil en bandoulière pendant sur le bas-ventre, prêts à entrer en action, elle est de profil, immobile, la Reine glacée qui ne souriait jamais. Celle qui fut la gamine, livide, face aux huées de la masse : le verdict, bon sang, le verdict.

Brusquement, le petit homme à la montre se penche au-dessus de Mme Simionescu et presse le bouton. Aussitôt, dans les tribunes, ils l'acclament en riant – DA-VY-DO-VA, bien fait pour la Roumaine t'as vu comme elle est jaune et ils pointent du doigt l'entraîneur roumain en sueur, ça lui coule des yeux, Béla, qui court vers Iuri, il lui prend les mains dans une des siennes, hagard, comment peux-tu, Iuri, le monde est témoin, elle a été splendide, tu as été sportif, bordel, Iuri, et le Soviétique lui chuchote quelques mots embrouillés, t'en fais pas, c'est compliqué, mais on va arranger ça avant le podium, on lui fera un 9,90, un truc dans le genre, suffisant pour la mettre première à égalité. Béla pousse les gamines efflanquées sur son passage, il se dirige vers les juges, suivi de gardes prêts à intervenir, on n'entend rien de ce qu'il dit à cette dame blonde à chignon, la juge polonaise, qui range déjà ses affaires et secoue la tête sans le regarder, la foule exulte bruyamment, ils ont compris : le drapeau soviétique est imperceptiblement hissé plus haut que le roumain, Béla la cherche du regard – mon écureuil –, sa Nadia survivante d'un champ de Véras aujourd'hui finies, il ne la voit plus parce qu'ils l'entourent, ils sont tous à ses pieds, littéralement, car il n'y a plus de place autour d'elle. Celle qui ne souriait jamais pleure face aux caméras et, comme un phénomène météorologique qu'on s'empresse de noter car on sait qu'il ne se reproduira pas, la voix off du reporter de NBC répète : "Elle pleure. Elle pleure. Oh, là, elle pleure. Toutes les larmes de son corps."

9,85.

Toutes ces tâches. Ingérées sagement, leurs incessantes exigences à satisfaire se dévident de son être traversé de pellicules et de flashs, une radioactivité mondiale. Ça tourne, chérie. L'ordre du mérite de la nation de l'héroïsme, tout s'effrite, *yes sir*, j'ai l'image de Comaneci qui pleure, son corps est un champ de batailles acharnées qu'ils mènent et disputent, tous, celui dont l'ombre est au-dessus de Béla, ce plus-que-Béla de la république socialiste de Roumanie qui n'est finalement qu'un autre Béla, tous managers, tous, ils reprennent ses gestes un à un, la positionnent de façon qu'elle soit plus efficace, souple, facile d'accès. *Yes yes yes*, les cernes marron sous ses yeux sont accentués par les lumières qu'ils brandissent sous son visage, car ils sont agglutinés entre ses jambes maintenant et crient son prénom comme si elle était en train de mourir, Nadia, un mot Nadia, un mot un mot.

## BIOMÉCANIQUE
## D'UNE FIN COMMUNISTE

Terminées, les notes d'essence de sa Mercedes payées par le Parti, finie également cette façon dont, par le passé, Béla a parfois décrété que le parfum de ceux qui le surveillent pue et demandé leur renvoi en haut lieu, je choisis moi-même mes sécuristes, les gars, si on peut m'éviter les pédés fleuris. Ce matin, dans l'aéroport de Moscou, Béla se tait. Monte dans l'avion vers Bucarest sans une injure, indifférent à ses écureuils. Ils rentrent. Il sera convoqué en fin de journée au Bureau central. Il est toujours convoqué dès son retour de l'étranger, il lui faut toujours expliquer pourquoi il n'y a pas eu que de l'or, par exemple, ou pourquoi il a emmené les petites au ballet ou au musée sans autorisation, des tracasseries bêtasses, des détails. Que son vieil ami Ilie V. fait disparaître avec humour, il ouvre sa sacoche marron, "Vas-y, jette tout ça là-dedans, je te le rapporte demain matin, rangé repassé!" Ilie, membre du Comité politique et du Comité central, vice-Premier ministre de 1978 à 1979, Premier ministre jusqu'à avant-hier.

*

A-t-il parlé de "Jeux corrompus" à la chaîne ABC ? A-t-il été fichu de ramener un titre olympique par équipe ? Est-ce que Béla perd la tête ? Nadia a commis deux erreurs à la poutre et lui s'acharne à imaginer une cabale des Russes ! Voilà la vérité : une équipe de perdantes, de mauvaises perdantes. Et la presse américaine, ces atroces photos de gymnastes affamées à Fort Worth, que vont-ils en déduire à l'Ouest, qu'on mange mal en Roumanie ? Et ses blagues enregistrées le 7 février 1978 lors d'une conversation téléphonique où Béla a tourné en dérision les manifestations à la gloire du Camarade de façon "ostensible et vulgaire" ?

Béla demande un verre d'eau tandis qu'ils continuent d'énumérer leurs griefs ; il n'a jamais eu besoin de quémander à boire, avec cette chaleur, trente-huit degrés, c'est le trou du cul d'une vache russe ici, camarades, mais ils ne rient pas, se regardent comme si ses mots confirmaient un diagnostic. Et ils font traîner, réjouis de son embarras, le voilà presque contrit sans son "protecteur" Ilie V. qui vient d'être démis de ses fonctions sur ordre de la Plus Grande Scientifique du pays.

Terminé le conte, terminée l'aventure, ne reste que ce chiffre : 1981. L'année où le Conducator décide que le sport ne sera plus une activité réservée à une élite (une "Fée" ?!) adorée des Occidentaux. Le pays entier est garni de jeunes et modestes travailleuses qui courent, dansent, patinent et sautent. Repartons sur des bases saines et mettons l'accent sur des compétitions populaires, des "Daciades" auxquelles : "Tous pourront participer, mais seulement les meilleurs !" Car Nadia, Na-di-a, NA-DI-A ça suffit ! D'ailleurs, immédiatement après la cérémonie de son retour moscovite, le Camarade a exigé de la lotion alcoolisée, frissonnant du dégoût d'avoir frôlé la joue de Nadia ; cet amas de poudre et de crème beiges, tentative de dissimulation d'un bouton qui n'est rien d'autre qu'un mélange de sang et de pus signalant un jeu d'hormones déjantées.

"Trop de calories !" a déclaré la Plus Grande Scientifique au monde. Une mauvaise hygiène de vie, ça ! Elle est à l'image de ce peuple : les Roumains consomment trois mille trois cent soixante-huit calories par jour et les Allemands n'en consomment que trois mille trois cent soixante-deux : il est largement temps de mettre en application ce "programme d'alimentation scientifique" imaginé par la Camarade elle-même suite à l'incident du bouton. Nous allons apprendre à ce peuple de fainéants à se nourrir car nous les perdrons toutes, nos merveilleuses petites filles, si ça continue ! Le poids des femmes de ce pays, des mollasses, des perdantes, les rend inaptes à prendre la vie avec la "force et la légèreté" préconisées par le Camarade lors de son dernier discours télévisé.

À COMPTER DU 17 OCTOBRE, LE PAIN, LA FARINE, L'HUILE, LA VIANDE, LE SUCRE ET LE LAIT NE POURRONT PLUS ÊTRE ACHETÉS QUE SUR PRÉSENTATION D'UNE PIÈCE D'IDENTITÉ ET DE TICKETS SPÉCIAUX. QUANTITÉS AUTORISÉES PAR SEMAINE ET PAR PERSONNE :

VIANDE : 550 GRAMMES ; LAIT ET PRODUITS LAITIERS (À L'EXCLUSION DU BEURRE) : 1 LITRE ; ŒUFS : 5 PIÈCES ; LÉGUMES : 700 GRAMMES ; FRUITS : 520 GRAMMES ; SUCRE (Y COMPRIS

PRODUITS SUCRÉS) : 400 GRAMMES ; POMMES DE
TERRE : 800 GRAMMES. CONSOMMER 30 % DES
PRODUITS AU PETIT-DÉJEUNER, 50 % AU DÉJEU-
NER ET 20 % AU DÎNER. IL EST ENTENDU QUE CES
PROPORTIONS VARIERONT SELON LE SEXE, L'ÂGE
OU L'ACTIVITÉ.

*C'est Nadia qui me fait parvenir ce tableau publié à l'époque dans le quotidien* Scînteia, *qu'elle accompagne d'un mot d'explication : "C'était si difficile, il fallait consacrer tellement de temps à se renseigner sur les arrivages, mettre son réveil à 3 heures du matin pour arriver les premiers au magasin et prendre ce qu'on trouvait, on ne savait même pas pourquoi on faisait la queue la plupart du temps, on restait là où les autres attendaient... On faisait des échanges entre voisins. Ma mère stockait ; c'est paradoxal, mais à l'époque, les frigos étaient pleins. Les dernières années, comme Ceauşescu exportait absolument tout, on n'avait plus rien, alors évidemment, on ne parlait que de ce qu'on rêvait de manger... Vous allez rire, mais ces conversations obsessionnelles, je les ai retrouvées chez vous, à l'Ouest ! Ces régimes, ces recommandations du ministère de la Santé, des magazines, ils font les mêmes tableaux que chez nous sous le communisme ! Bah, les États s'occupent toujours de ce que nous avalons, non ?"*

DOSSIER KATONA

Ce dossier de la Securitate consacré à Béla dans
lequel les agents "Nelu" et "Elena" consignent tout,
y compris ses conversations quotidiennes avec sa
femme ou sa mère. Des pages et des pages d'absurdes détails obtenus auprès des voisins, des amis,
des collègues, eux-mêmes peut-être surveillés par
ceux-là qu'ils pensent surveiller. Des enchevêtre-
ments de riens, censés tresser serré les souffles de
chacun, jusqu'à ce que plus personne, dans le pays,
n'envisage d'ouvrir la bouche.

*

Pourquoi ne le mettent-ils pas en prison ? Pourquoi
le laissent-ils tranquille, finalement, après l'interro-
gatoire post-Moscou, et même, on lui confie une
nouvelle fois l'équipe pour ce "Nadia Tour 1981"
commandé par les Américains qui rapportera à l'État
roumain dans les deux cent cinquante mille dollars. Cette tournée pendant laquelle il est entouré
en permanence de "journalistes". "Dis donc, mon
gros, quelle surprise, tu es devenu « journaliiiste »",

fait Béla, le matin du départ, à celui-là, un milicien qui le surveillait déjà à Oneşti.

C'est en novembre 1976, tout de suite après Montréal, qu'une surveillance spéciale est mise en place autour de Béla, ce "mégalomane, vantard, égoïste, matérialiste, qui tôt ou tard fuira vers l'Ouest". Des agents se déguisent en instructeurs sportifs pour ne pas le lâcher. Dès que Béla et Márta partent, on s'introduit chez eux, on fouille, les vêtements sont laissés en tas sur le sol, les tiroirs ouverts. On salue les voisins en sortant pour que ceux-ci passent le message à Béla, on reviendra la semaine suivante pour changer les batteries des micros. On lui coupe l'électricité, le téléphone, on convainc les employés du magasin d'alimentation Mercur d'"oublier" ses commandes, on persuade l'institutrice de refuser sous quelque prétexte leur fille à la maternelle. À bout, un matin, il débarque au siège local de la Securitate et tente de s'emparer du double de ses clés qu'on lui agite sous le nez.

Béla s'éveille toutes les nuits, il croit entendre les micros posés dans l'appartement grésiller. Il est épuisé. Des plaintes anonymes de gymnastes, des médecins aussi, qui lui reprochent de surentraîner les filles, de les sous-nourrir et même de les frapper. Béla soupçonne chaque petite sauf elle, pas elle, et pourquoi pas elle, finalement ? Parfois, à la fin de dîners qu'il organise à la dernière minute où tous sont invités, entraîneurs, journalistes, voisins, il monte sur la table de la salle à manger et à l'aube, ivre, les bras ouverts en croix il hurle "Malaaaaaade" vers le plafond, sans qu'on sache s'il apostrophe ceux et celles qui enregistrent tout ou s'il brame, désespéré, qu'on le détache enfin.

## DÉSOSSER L'IMPOSSIBLE

Quelques mois avant que cette scène ne soit réelle, courir dans ce couloir d'hôtel, frapper à sa porte, d'abord poliment puis, en pleurs, monsieur le professeur ouvrez-moi s'il vous plaît, Nadia en perçoit, sans les déchiffrer, les prémices : Béla se fait fréquemment remplacer, il est convoqué pour "affaires" à Bucarest, il reçoit des courriers officiels qu'il déchire furieusement avant même de les lire et dont Márta ramasse les morceaux en silence.

Un soir, ils sont tous les deux dans le gymnase vide et rangent les matelas, Béla, brusquement, prend Nadia dans ses bras et la berce, un instant.

Et elle racontera cette scène-là des années durant comme celle d'un film, elle a couru dans ce couloir moquetté de bleu sombre et une fois entrée dans la chambre vide, vide, vide, elle a regardé partout. Derrière les portes, plusieurs fois, et ça n'avait aucun sens, Béla était trop large pour se cacher derrière une porte, fût-elle celle d'un grand hôtel américain.

Très vite, elle reprendra le dessus sur la fin de l'histoire. Refusera de commenter la défection de celui que, parfois, enfant, elle appelait papa et aussitôt elle portait la main à sa bouche et pouffait en demandant pardon professeur.

*Béla confie à Nadia, ce dernier jour de leur tournée à New York, qu'il ne reviendra pas en Roumanie, et elle s'effondre en larmes, le supplie qu'il la garde avec lui. Il refuse, elle est trop jeune, comment lui garantir une vie correcte dans ce pays, écrit Béla dans ses Mémoires.*

*Faux, me répond-elle, catégorique. Elle était "dressée" (elle emploie ce verbe) à ne réagir à rien de ce qu'affirmait Béla, cette distance était une protection indispensable, elle n'a pas cru que Béla allait partir, elle n'a donc pas pleuré, insiste-t-elle, comme s'il s'agissait d'un détail crucial. L'épisode de la défection des Károlyi s'annonce difficile à démêler.*

*Toutes les phrases du dossier de la Securitate consacré à cet événement commencent par "il semble que" : il semble que Béla ait proposé à Nadia de partir avec lui. Il semble que les Américains aient aidé Béla à s'enfuir, ils étaient en relation depuis 1978. Il semblerait qu'à New York, les nombreux achats effectués par les Károlyi aient eu pour but de ne pas éveiller les soupçons, comme l'appel de Geza à sa femme lui demandant qu'elle l'attende à l'aéroport le lendemain parce qu'il est trop chargé.*

*Je finis par reconstituer une version plausible : à 9 h 30, jour du départ, toute l'équipe se rend dans un centre commercial à cinq cents mètres de l'hôtel. Béla et Márta sont aperçus pour la dernière fois devant une bijouterie, puis, ils s'éclipsent. À midi, il manque trois personnes à l'appel : Béla, Márta et Geza. À 15 heures, on alerte les autorités roumaines, c'est l'heure de se mettre en route pour l'aéroport.*

*"Ces détails, tous ces détails, fait Nadia, perplexe, lorsqu'elle m'appelle, j'ai peur que ça n'embrouille*

l'essentiel! Comment les lecteurs comprendront à quel point la décision de Béla était dure à prendre? Vous avez toujours voyagé avec un aller-retour en poche, vous! Décider de passer à l'Ouest impliquait d'abandonner sa famille, ses amis, en plus, on savait qu'ils seraient doublement surveillés. C'était une décision terrible à prendre, cette culpabilité… Je n'ai compris qu'au moment où tout le monde a commencé à chercher Béla. Comme si je me réveillais. J'ai foncé à la réception, j'ai inventé un truc pour qu'on me donne sa clé. Sa chambre était vide. C'était… La fin. Je pensais qu'il… ne partirait jamais. Dans l'avion, les filles pleuraient, les agents de la Securitate étaient paniqués, se disputaient, ils cherchaient à élaborer une version pour se couvrir."

Le dossier Katona se conclut ainsi : le harcèlement du pouvoir, sa réputation en baisse après Moscou et surtout l'ambiance tendue avec Nadia, que Le-Fils-de Ceauşescu accapare, toutes ces raisons expliquent que…

La presse roumaine accuse Béla de haute trahison, ses biens sont confisqués et ses proches, comme ses gymnastes, mis sous surveillance renforcée.

Je crois comprendre que Nadia soutient sans ambiguïté la défection de Béla, elle me détrompe : "Il est parti en claquant la porte et moi, du coup, ça m'a enfermée à clé. J'étais… prisonnière, mais chez moi. Exilée. Mais à l'intérieur.

— Mais… Vous avez dû vous douter qu'il allait rester aux États-Unis, tout de même, avec ce discours très émouvant, la veille de sa défection, devant vous toutes réunies, pour vous dire qu'il faudrait continuer à travailler dur, même sans lui.

— Qu'est-ce?? Non… Qui raconte ça, lui? OK…"

*(Elle prend une grande inspiration.)*

"Je vous l'ai déjà expliqué : oui, il m'a glissé qu'il allait rester, la veille, dans le couloir de l'hôtel, mais j'ai pris ça pour une blague, une sorte de provocation.

— Une provocation ? Avez-vous pensé qu'il tentait de vous piéger comme ces agents de la Securitate qui faisaient part de leur désir de fuir à leurs proches pour les inciter à se confier ?"

Nadia ne répond pas à ma question mais elle baisse la voix, voilà qu'elle se souvient de "quelque chose d'intéressant" : un coup de fil reçu au moment où elle remonte dans sa chambre d'hôtel pour y prendre sa valise (à cet instant-là, les entraîneurs sont introuvables et on les cherche partout).

"Cette femme — aucune idée de qui elle était — m'a dit qu'elle me contactait de la part de Béla pour savoir si je voulais rester aux États-Unis avec lui ou rentrer. J'ai raccroché, bien sûr !"

Je l'écoute avec l'étrange sensation que le récit m'échappe, que cette histoire est fausse, je n'y crois pas, ce détail sans intérêt n'est là que pour ajouter du suspense à un film d'espionnage de série B. Elle met en scène. Elle pose les décors et les personnages, peaufine les textes de chacun. Le sien, de texte, reste terriblement court ou inexistant, ce texte de fée malhabile qui pousse les virgules du coude et voit les spectateurs, juges et présidents, rugir dès qu'elle prononce quelques mots, jamais ceux qu'ils désirent. Comme ce "Et alors ?", lancé à Béla lorsque celui-ci tâche de faire comprendre à Nadia qu'il ne rentrera jamais en Roumanie. Ces mots d'une adolescente lasse, pas décidée à se laisser émouvoir par le départ de celui qui se vit comme un père, et qu'elle préfère appeler un "manager".

*Les versions s'enchevêtrent, nos mots se battent pour prendre le dessus, Nadia louvoie. Les jours suivants, je ne lui envoie rien – protéger ce récit de ses tentatives incessantes de réécritures, peut-être. Il me reste peu de dates à évoquer, la Roumanie s'étant totalement fermée aux médias après 1981; je n'ai presque aucune documentation, je dépendrai entièrement d'elle et de ses souvenirs pour les Jeux universitaires de 1981 et sa retraite sportive qui donne lieu à une grande célébration en 1984.*

*"Vous savez que Samaranch m'a décorée de l'ordre olympique?"*

*Je la rassure, les titres prestigieux, je les noterai, je raconterai la façon dont le monde entier vous a célébrée. De plus en plus souvent, nos conversations, ces échanges, n'en sont pas. Sans doute est-ce aussi ma faute, car je n'ose pas, ce jour-là, par exemple, lui faire part de mon malaise. Je dirais quoi? J'ai tapé votre nom et celui de Nicu C., le "Fils-de" sur Internet, et trouvé à plusieurs reprises cette expression : "idylle" forcée. Comment lui poser la question? Qu'est-ce qu'une "idylle"? Qu'est-ce qu'une idylle forcée?*

*Le-Fils-de Ceaușescu l'aurait torturée. Il lui confisquait ses salaires pour qu'elle dépende de lui. Il l'exhibait à ses amis. Il la voulait disponible à toute heure. Avait truffé l'appartement qu'il lui avait offert de micros ultrasensibles, aucun des mots qu'elle prononçait ne lui échappait.*

*Les aspects les plus sordides de la relation entre Nadia et celui que les Roumains appelaient en secret le Roitelet ont été rendus publics après 1989. À moins que la version qu'il ne faille croire ne soit celle des voisins du Roitelet, qui, interviewés par des journaux à scandale roumains, ont déclaré récemment : Nadia venait au* volant de la Fiat qu'il lui avait offerte lui rendre visite à l'improviste dans sa villa à Sibiu car elle était obnubilée par l'idée de le surprendre avec d'autres femmes. Elle était jalouse. Méchante.

À qui est ce corps, cette tête, en 1981 ? Que se disputent Béla et Le-Fils-de, qui exige une surveillance accrue de Nadia : *"Je veux être sûr qu'elle ne drague pas."*

*"Nicu C. ?"* J'écris ce nom sans rien ajouter dans un mail, persuadée qu'elle va refuser de me répondre. Mais elle m'appelle le soir même.

" … *Vous savez, il était banal.*

— *Banal ? J'ai lu quelques témoignages et…*

— *Oui. C'est ce que je veux dire, c'était le portrait type du prétendant pathologiquement jaloux, vous voyez, qui vous suit partout et fouille dans votre appartement et votre agenda. Sauf qu'il était ministre et qu'il avait plus de moyens que le garçon lambda : une armée et des agents secrets à sa disposition ! Il était obsédé par moi depuis Montréal…"*

Je la laisse me raconter plusieurs anecdotes que je connais déjà sur Nicu C. Toutes ont été relatées dans la presse. En réalité, elle ne me dit rien. Et je ne demande rien. Nous sommes en automne. Depuis que je me suis lancée dans ce projet, la fréquence de nos contacts pourrait être représentée par un graphique nerveux et absurde, parfois, nous échangeons trois ou quatre fois dans la même journée, mais si elle n'est pas d'accord avec ce qu'elle vient de lire, trois semaines s'écoulent, je suis punie.

Je retarde le moment de lui téléphoner ou de lui écrire, je deviens trop sensible au ton de sa voix, à ses silences, des reproches, et le soir, quand je me couche, je ressasse ses piques, comme ce jour où je m'inquiète de l'enfance sacrifiée des jeunes gymnastes : "Sacrifier son enfance ? Ah. J'ai raté quoi exactement, de si

fantastique ? Aller traîner dans les cafés ? Faire du shop-
ping ? Sortir avec des garçons avant d'être prête à le
faire ? Les jeux vidéo ? Facebook ? Qu'est-ce qu'on fait
entre six et seize ans que j'ai raté ? Si j'avais eu votre
vie normale, je serais quoi aujourd'hui ?"

De plus en plus souvent, je suis reléguée à ma place
"normale", cet espace où elle m'expédie comme on
montre à un bambin pénible sa chambre pour qu'il y
disparaisse. Elle s'énerve, me coupe la parole, les chapitres que je lui fais parvenir lui paraissent "subjectifs",
elle redoute ma vision cliché de la Roumanie, "Si vous
pouviez éviter les mots du genre vêtements ternes, rues
grises. Et puis, arrêtez de lire les témoignages de Geza
pour votre livre. Imaginez qu'il ait été un indic de la
Securitate, lui aussi ?"

Je me tais et prends note. Le soir, je regarde de vieilles
vidéos d'elle sur la poutre, muette et précise, Nadia C.
désosse l'impossible comme on ravage un ennemi.

À mon réveil, ce mail, très court : "À propos de notre
conversation sur Nicu C. : il n'a jamais été un petit
ami. N'employez pas ce mot, s'il vous plaît, vraiment,
pour parler de ce qui s'est passé. Merci."

## FICTION MÉCANIQUE

*1981-1989*

Le pays tout entier est un plateau de tournage, on répète sans relâche, on ne sait plus ce qu'on répète, mais on répète. Le texte officiel est immuable, c'est comme si on était né avec, et d'ailleurs on est né avec. Il est partout. Une voix le récite à la radio, le proclame à la télévision, il s'inscrit en première page de l'unique quotidien. À chaque coin de rue, au travail, dans les usines, à l'université et même là, dans une fête entre amis, d'aucuns s'improvisent souffleurs en chef du grand film, prompts à te rappeler ta réplique si tu sembles sur le point d'improviser. On joue face à d'autres acteurs vides, ils te regardent dans les yeux, sans te croire, et quand c'est leur tour de parler, tu ne les crois pas non plus, les mots vous traversent tous comme un mauvais rêve qui serait arrimé à une horloge folle, les mots tournent autour du temps.

On joue devant deux Spectateurs Suprêmes, la Plus Grande Scientifique du monde et le Camarade, invariablement réjouis par le spectacle d'un corps dont ils sont le cerveau et ils ne se lassent pas d'applaudir ce pays qu'ils ont imaginé et réalisé. Dans un décor branlant aux accessoires médiocres, ces magasins d'alimentation vides dont on remplit les étalages une heure avant son arrivée, le couple présidentiel serre des mains devant les photographes conviés à ces visites dites "surprises". Comme on ne trouve plus de salami, de viande, ni de fromage, on dispose des aliments en polystyrène. On applaudit à leur passage, eux font mine d'être surpris de l'abondance des aliments.

Mais a-t-on déjà vu des acteurs forcés d'applaudir? À quel moment tout ça s'est-il inversé? Quand a-t-on cessé d'être acteurs? À moins qu'on n'ait jamais été acteurs, mais spectateurs obligés d'assister au spectacle interminable de deux vieux cabotins, ces acteurs qui mettent en scène leur public. On confond tout. C'est qu'on dort de moins en moins tant il fait froid dans les appartements, un nouveau décret vient de limiter le chauffage à quatorze degrés, dans les salles de classe, il en fait cinq. On est aussi affaibli par le manque de nourriture, on a le vertige, on s'égare dans sa propre ville, on trébuche, hagard, dans cette ville-décor : Bucarest, sans cesse réécrit et retracé. On est perdus là où on a toujours vécu, on s'aborde, excusez-moi, où est la rue Maïakovski et personne ne voit de quoi il s'agit. Les rues sont renommées, le nom de ce poète-ci a été interdit, jugé trop négatif, qui a utilisé le mot "obscurité" alors qu'on traverse une décennie de Lumière, voyons! On évoque un square où on se rendra au printemps, mais de quel square parles-tu, on insiste, si, on a pique-niqué là-bas à l'automne, autour de la table les autres pointent leur doigt vers le plafond, on est écoutés, tais-toi donc. Le square a été démoli, il était vieux, la statue de l'écrivain faisait affreusement XIX$^e$, à la place, bientôt, il y aura un immeuble moderne, tout confort. Et l'église où on est allés à Pâques? Elle a été "déplacée", pierre par pierre. Elle ne cadrait pas avec notre ville qui sera bientôt une cité futuriste aussi moderne qu'en Corée !

\*

Elle a le vertige. Le matin, lorsque Nadia se prépare à aller entraîner les juniors, il lui semble que tout ça ne tiendra pas une journée supplémentaire. Elle va ouvrir la bouche et sa peur lasse se déversera d'elle. Restent les gestes. Montrer aux élèves comment on tient un bel équilibre. Mais les gestes aussi commencent à s'user, un langage mécanique qui n'a plus de sens. Un soir, elle quitte le gymnase au beau milieu de l'entraînement, les Jeux universitaires mondiaux auront lieu dans trois semaines, elle ne veut pas, ne peut pas concourir sans Béla.

"Pourquoi t'es nerveuse comme ça, ma chérie, qu'est-ce que t'as! Tu vas nous traficoter un truc toute seule comme une grande, si tu imagines qu'on verra la différence, s'esclaffe le Roitelet, suffit que tu termines avec les fesses en arrière, comme ça, hé fais pas chier, bouge pas."

NOBEL

*1982*

"Face à ce grave péril de destruction qui menace l'humanité, moi, Nadia, nous, sportifs roumains, dans l'esprit de la politique de la Roumanie socialiste élaborée par le président Ceauşescu, combattant infatigable pour la paix et la compréhension entre les peuples, nous empêcherons une nouvelle guerre mondiale, nous assurerons la paix en Europe et dans le monde entier!"

Aussitôt le dernier mot prononcé, Nadia recule sagement comme on le lui a montré lors des répétitions. Le Camarade est déjà devant elle, il salue la foule. La Scientifique la Plus Réputée au monde s'approche du micro, véhémente : "Il nous faut démanteler toutes les armes nucléaires du monde comme nous avons renversé le fascisme et sorti les Russes et aussi…" elle marque une pause sensationnelle, "… Nous rétablirons… la paix au Moyen-Orient!"

Des dizaines de fillettes envahissent l'estrade et bondissent autour du couple, elles chantent avec énergie ; Nadia, dans les coulisses, attend de savoir si on a encore besoin de ses services.

*Aurait-elle pu refuser de participer à ces cérémonies, ce discours pompeux, par exemple, censé aider Ceauşescu à obtenir un hypothétique Nobel de la Paix, je demande à Luca L., historien. Bien sûr, répond-il, tout comme nous, simples pionniers. Si on loupait deux trois trucs au cours des répétitions, si on bégayait, on n'était pas retenus. Il aurait suffi qu'elle rate. Sans doute qu'elle ne savait plus rien rater, ajoute Luca, pensif.*

*Il y a des mois de ça : je viens d'envoyer à Nadia le passage sur Věra Čáslavská et elle a beau m'assurer qu'il lui plaît, sa respiration me paraît étrangement rapide, oppressée, à l'autre bout du fil. J'insiste : "Vous êtes sûre, Nadia, que ça va ?" et elle finit par me répondre ceci, tout doucement : "Vous l'aimez vraiment beaucoup ce personnage… Je comprends. Věra a été tellement… héroïque."*

*J'enregistre toujours nos conversations pour ne pas transformer ce qu'elle me confie. Ces phrases-là, je les réécoute plusieurs fois. Je réécoute le silence. Son inquiétude que moi aussi je commence à évaluer son degré d'innocence, peut-être, et cette phrase : "On peut… être prisonnière en étant apparemment libre… Allô… Vous êtes là ?"*

## LE CIRQUE DE LA FAIM

Il y a des années de ça, quand le président Carter en visite désirait voir "la petite fille", un marché recouvrait la Piaţa Socialismului. De vieilles femmes aux cheveux couverts de foulards, leurs jupes longues et larges salies de boue, vendaient des pommes acidulées aux formes maladroites cueillies dans la campagne. "Le centre-ville ne peut pas ressembler à un village gitan!" a tonné le Camarade.

Aujourd'hui, la Piaţa Socialismului est au centre d'une nouvelle avenue dont le Camarade a exigé qu'elle soit "plus large que les Champs-Élysées", même s'il ne s'agit que d'une dizaine de centimètres. Les immeubles aux façades d'albâtre qui bordent l'avenue sont réservés aux hauts dignitaires du Parti, les trottoirs peuvent accueillir des milliers d'enfants bruissant de chants et de drapeaux. Les architectes ont laissé de l'espace pour un marché couvert. Un mirage rempli de légumes et de fruits, de viandes, de charcuteries et de spécialités régionales, de fromages de Transylvanie ou du Maramureş, car les rares touristes ne doivent pas voir de vitrines vides. Dès 4 heures du matin, chaque jour, on s'aligne pour être les premiers

217

à acheter le surplus, ces quelques aliments mis en vente sans que cela ne modifie la vitrine. Ce lieu où on contemple ce qu'on ne mangera probablement pas, on l'appelle le musée, le cirque de la faim.

Le pays, m'explique Radu P., un journaliste, était devenu une fiction à laquelle personne ne croyait, personne… Il fallait continuer à faire semblant. Les années 1980 étaient un cauchemar de l'absurde. En 1983, chaque propriétaire d'une machine à écrire devait la déclarer au commissariat et ceux qui représentaient "un danger pour la sécurité de l'État" ou qui avaient un casier judiciaire étaient interdits de machine à écrire! Et la censure… Des équipes spéciales de la Securitate avaient dressé une liste de mots interdits dans les romans, les films ou les chansons. Ceux, en particulier, qui évoquaient la faim ou le froid, et qui étaient considérés comme une allusion directe aux décrets de Ceauşescu; on n'avait donc pas le droit d'écrire : "Il enfila un pull car il frissonnait"! Tout était lu, relu, ils censuraient même les étiquettes de boîtes de conserve. À la même époque, ils ont inventé une nouvelle catégorie de gens à surveiller : "les personnes sans antécédents"…

C'était d'autant plus dur pour nous qu'il y a eu une période relativement ouverte au début des années 1970, où nous avons eu envie de croire en un pays nouveau. Ensuite… Si seulement on avait été envahis par les Soviétiques, mais là, le virus était en nous, il fallait s'autocombattre.

J'ai du mal, ajoute Radu, embarrassé, à pardonner aux Occidentaux, je vous l'avoue, votre soutien incessant à Ceauşescu. C'est d'ailleurs drôle, enfin, intéressant, mais c'est la droite qui le soutenait ardemment, Le Figaro, entre autres. Sans doute parce que Hersant, *comme Georges Marchais, d'ailleurs, était un invité de marque lors des luxueuses parties de chasse que Ceauşescu organisait dans les Carpates…*

*Nadia, elle, s'évade quand je la questionne sur ces dernières années, ses réponses se font chemins de traverse.*

"Je pense à quelque chose, à cause de votre expression « plateau de tournage » : les théâtres! Ils étaient pleins, je suis sûre que j'ai vu plus de pièces classiques que vous! On gelait dans la salle mais chez soi c'était pareil, et puis, on voulait voir, écouter de beaux textes… Les applaudissements ne faisaient presque pas de bruit parce qu'on gardait nos gants. Il y avait toujours des sécuristes dans la salle, évidemment. Et Hamlet, vous savez : « Il y a quelque chose de pourri dans le royaume du Danemark »? Ça, je ne l'oublierai jamais : l'acteur a simplement marqué une petite pause après « royaume »; oh, on a compris, on l'a ovationné, tous debout, on était bouleversés, il exprimait ce qu'on ne pouvait plus dire. La phrase a été interdite dès la représentation suivante! Tiens, je me souviens, j'ai assisté avec ma mère à une représentation de Roméo et Juliette, *les acteurs avaient quelque peu modifié la fin (elle pouffe) : dans la version roumaine, Roméo et Juliette ne parvenaient pas à se suicider parce qu'il y avait une pénurie de poison dans le pays!*

*… À la maison, on vivait et on dormait en manteau, il faisait épouvantablement froid. On n'avait droit qu'à des ampoules de quinze watts, cette lueur jaune sombre que ça faisait partout dans la ville… J'avais si peur que ma mère tombe malade, les hôpitaux étaient gelés aussi et n'avaient pas de quoi stériliser les instruments correctement.*

— *Vous voyez, ce n'est pas moi qui trace le portrait, que vous redoutiez, d'une Roumanie tragique!"*

*Elle rit doucement à l'autre bout du fil, sur le fond d'écran de mon ordinateur, une photo de Montréal, la petite communiste qui ne souriait jamais, puis elle ajoute :*
*"Je déteste avoir froid, c'est une obsession aujourd'hui encore. Mais malgré tout, il manque à vos descriptions des choses… qui n'existent plus aujourd'hui.*

— *Comme quoi ?*

— *Je ne voudrais en aucun cas qu'on imagine que je minimise ce qui a eu lieu mais… comment vous dire… On était ensemble. Contre un ennemi commun. On ne s'est pas laissé piétiner. Il fallait s'entraider, s'organiser, tenez, les gens se prêtaient leurs enfants pour aller faire les courses car ceux-ci avaient droit à des rations supplémentaires de lait et de viande. Et… je sais que ça va vous paraître superficiel, mais faire la queue prenait tellement de temps que c'était un haut lieu de drague, on se maquillait, on se parfumait avant d'y aller. Les vieux se retrouvaient entre eux, ils dépliaient une petite chaise de camping et jouaient aux cartes. Des détails, je sais. Enfin… est-ce que ce sont des détails, ou une façon de survivre ? Et ça aussi, personne ne vous le dira parce que ça n'est pas spectaculaire, mais si on réussissait à voir un film étranger, souvent français d'ailleurs, eh bien, c'était un genre d'obligation morale, on se devait de le raconter en long et en large à tous ses amis, on mémorisait les bonnes répliques, les costumes, tout, pour partager ce bonheur."*

*Pouvez-vous me faire parvenir une liste de vos souvenirs des années 1980, votre quotidien, je demande à Nadia. Elle soupire, vous êtes incroyable, on en a parlé mille fois, puis, comme j'insiste, elle susurre, acide : "Je ne vous mets pas les bons souvenirs, je sais qu'ils ne vous intéressent pas !"*

*Je reçois ceci, une dizaine de jours plus tard.*

*"Désolée, ils sont dans n'importe quel ordre : les collections qu'on faisait des papiers cadeaux et des emballages de l'Ouest, plus ils brillaient, plus ils étaient recherchés. Cuisiner la nuit parce que c'était le seul moment où il y avait du gaz. L'année où les Canadiens ont fait un casting pour trouver qui jouerait mon rôle dans ce film qui retraçait mon parcours, je n'ai pas eu l'autorisation de sortir de Roumanie pour me rendre sur le tournage. Les conserves de mandarines au sirop chinoises (tout venait de Chine au début des années 1980) ; regarder la télévision bulgare même si on ne comprenait rien, parce qu'on ne supportait plus nos programmes patriotiques ; la présentatrice du journal faisait un clin d'œil et disait bonjour en roumain ! Tchernobyl... On nous avait dit que tout irait bien, qu'il suffisait de laver bien soigneusement les fruits et les légumes (mais je crois que chez vous, c'était pareil). Et une chose qui est peut-être hors sujet, tant pis : je n'arrive pas à comprendre comment les gens, aujourd'hui, peuvent souhaiter être localisés en permanence avec leur iPhone !?"*

## ÉLEVEUR DE TUEUSES

*1984*

*Nous ne parlons plus du Fils-de, qui l'accompagne partout, comme cet été-là où, contre toute attente, alors qu'elle est privée de compétition depuis quatre ans, on l'autorise à se rendre aux Jeux de Los Angeles. Le Roitelet conduit la délégation roumaine dont elle est l'image de marque, le but de Ceaușescu étant de présenter son fils comme un allié de l'Occident au moment où l'URSS et la majorité du bloc de l'Est boycottent l'événement, une revanche sur les JO de Moscou. Nadia est autorisée à saluer Béla de loin, mais pas à lui adresser la parole.*

*Je ne lui dis pas que les journalistes roumains avec qui je m'entretiens sont convaincus qu'elle tente aujourd'hui de faire oublier sa proximité embarrassante avec le pouvoir en se présentant comme une victime du Roitelet (c'est faux, elle ne se fait pas passer pour une victime, elle ne dit rien). Je corresponds avec un professeur d'université, une journaliste et même un ancien pope qui vivaient à Bucarest à l'époque ; ils conviennent qu'elle est toujours un symbole, certes, mais de quoi ? Trop bête pour fuir au moment où elle aurait dû ! Trop fourbe,*

*elle a profité des avantages que le régime lui offrait. Son-*
*gez qu'elle a prononcé le fameux discours pour la Paix*
*en 1982! Trop opaque. Tous, cependant, s'accordent à*
*dire que Béla K. s'est arrangé "comme un chef, un sacré*
*débrouillard".*

Un débrouillard qui, l'année de son arrivée aux
États-Unis, a été homme de ménage puis docker.
Qui a appris l'anglais en regardant *Sesame Street*,
et avec son patron aussi, qui le traite de fils de pute
rouge. Un sacré débrouillard, qui démarche tous les
week-ends les centres de gymnastique des États alentour, une photo de Nadia dans la poche, ce laissez-
passer absolu. Il assiste aux entraînements, prend des
notes, fait la moue aux entraîneurs éblouis : *no good.*
Deux années plus tard, Béla possède plusieurs voitures et sa propre école.
Et ils sont prêts à tout, ces parents américains qui
contractent plusieurs emprunts afin de soumettre
leur fille au jugement de celui qui s'y connaît en discipline : un "coco". Ils déménagent, quittent leur travail. "Je ne laisse aucune pierre sans l'avoir retournée
pour voir ce qu'il y a en dessous", leur assure-t-il en
tapotant les cheveux des gamines. Votre chochotte
– il sautille lourdement en faisant mine de boxer un
ennemi invisible –, je vais en faire une bombe anti-
communiste, *we will wiiiiin!*
Il a craint un instant les syndicats et les lois du
pays : ici, il faut une licence pour être plombier, râle
Béla, tout est réglementé, surveillé : la loi contre le
travail des enfants s'appliquera-t-elle aux quarante
heures d'entraînement nécessaires par semaine ? Et
cette interdiction faite aux mineurs d'acheter de l'alcool ou des cigarettes, demande-t-il aux sponsors très

excités par l'aventure, est-ce que les "aides" que Béla conseille rentrent dans cette catégorie ? On le rassure, les antidouleurs à la codéine ou les piqûres de cortisone peuvent être considérés comme des mesures médicales. Quant aux bouteilles entières de laxatif bues par les petites avant leur pesée publique, c'est un choix qu'elles font, on a quand même le droit d'avoir envie de réussir, ces gamines ont du potentiel, elles sont miraculeuses !

L'État américain reste poliment aux portes du miracle à venir, au seuil du gymnase dans lequel Béla entraîne Mary Lou Retton, une jeune gymnaste qu'il décrit à la presse comme "plus puissante que Nadia, une tueuse" et qui remporte le titre olympique en 1984.

## QUI SAIT?

Oui, qui? Qui sait pourquoi son nom est systématiquement rayé des listes? Qui sait pourquoi elle n'est
plus autorisée à sortir du pays? Chacune des invita-
tions occidentales auxquelles on répond que Nadia,
malheureusement, très très occupée, ne pourra être
là. Sans doute croient-ils qu'elle va rejoindre Béla.
Alors qu'elle aurait pu, mais elle est rentrée.

La voilà, aussi raide qu'une poupée desséchée,
en chemisette et socquettes immaculées, elle apparaît tout en haut du stade, aux côtés de la flamme
encastrée dans le rectangle de faux marbre censé
symboliser une colonnade d'un temple de la Grèce
antique, la voilà, habillée de blanc comme les centaines d'athlètes qui rentrent au pas lors de la cérémonie des Jeux universitaires à Bucarest, elle tend
la torche vers le ciel, cinq cents enfants entonnent
en chœur : BRA-VO NA-D-I-A!

"Mais quel âge a-t-elle?" demande le juge français
aux membres du jury, tandis qu'elle évolue au sol
sur une musique patchwork de ses compétitions passées. "Les Roumains ont perdu la tête, qu'est-ce que
c'est que cette mascarade, elle a failli tomber après le

double saut périlleux, c'est absolument pathétique, cette pose de fin vue et revue depuis Montréal! Et qui sont ses entraîneurs, à qui est Comaneci maintenant?"

Dans les travées, Maria Filatova lève les yeux au ciel, exaspérée des hourras, Nadia, elle, ôte les protections de ses poignets sans jeter un regard au tableau d'affichage, qui, laborieusement, proclame un/zéro/virgule/zéro/zéro comme un vieillard gâteux récompenserait sa fille devenue trop vieille de sucres d'orge obsolètes. Et un nouveau dix! On applaudit – applaudissements nourris, quatre minutes – comme spécifié sur les instructions officielles même si ces derniers mois, par mesure de sécurité, les applaudissements sont préenregistrés et chaque cérémonie se déroule en play-back.

Les médias internationaux sont rassemblés dans la grande salle, Nadia va faire une courte déclaration mais ne répondra à aucune question, Nadia est très très fatiguée et aussi très très occupée, raison pour laquelle elle ne participera pas aux compétitions pendant quelque temps : "J'essaye. De tirer de ces titres, de la joie. Qu'ils me remplissent de forces nouvelles. Dont j'ai besoin. Pour les… prochaines compétitions internationales. Auxquelles je participerai. Peut-être. Qui sait." Elle tourne la tête vers Le-Fils-de, assis en retrait, habillé à la dernière mode occidentale, des jeans Levi's et un pull shetland beige à col roulé. Il fume des Lucky Strike.

Elle enfile une veste de survêtement clair sur son short trop court, son intervention est terminée, la pièce s'illumine de flashs, des hoquets blafards, mais voilà qu'elle se ravise et se penche vers le micro, les journalistes brandissent leur enregistreur dans sa direction, elle n'avait pas terminé! Qui sait, murmure Nadia, qui, qui.

## LA POLICE DES MENSTRUATIONS

Qui sait ? Béla savait-il qu'elle serait "très très occupée" sans lui pour la protéger ? Occupée, investie et prise presque tous les soirs, Le-Fils-de l'assoit sur ses genoux au cours de dîners et de cocktails, il gémit de façon ostensible devant les membres du Parti et les représentants de diverses ambassades embarrassés et muets, il esquisse un mouvement de va-et-vient contre son corps immobile, mmmm, elle est si confortable, on a envie de s'enfoncer jusqu'au cœur de la reine, dis donc, confort absolu, messieurs, et souplesse des matériaux, buvons à la Sportive de l'année qui sent moins la sueur depuis qu'elle n'en fait presque plus, du sport !

"Nadiiiiaa, fait-il en se tortillant de façon grotesque et en parodiant un accent américain, dis aux téléspectateurs, si tu as une fille, Nadiliia, souhaites-tu qu'elle fasse de la gymnastique comme toi, heiiin ?"

Cette nuit, elle a rêvé qu'on lui implantait un bébé de force et elle serrait fort les cuisses pour les en empêcher, elle s'est réveillée malade, nauséeuse ; elle sourit sans répondre, cette migraine, le soleil déborde du ciel, enserre l'atmosphère, et ses yeux aussi, depuis combien d'années veulent-ils qu'elle ait une fille, tous, elle a si mal à la tête, ne boira plus, plus, à compter de ses vingt-cinq ans en novembre, elle payera la taxe de célibataire sans enfants à partir de cette année.

Chaque mois, les médecins de la police des menstruations lui écartent les genoux. Introduisent trois doigts gantés de latex. Qui fouillent, pincent. Pas d'amoureux ? Tu as des problèmes sexuels ? Quelle est la date de tes dernières règles ? Tu vas te décider quand ? Tu as déjà pensé à ce que tu dois au pays ? As-tu déjà pensé que tu avais des obligations envers nous ? Eh bien, tu en as. Car le Camarade t'a permis d'avoir une vie fabuleuse durant toutes ces années. Alors Nadia, fais quelque chose : participe à l'avenir du pays.

## LA MALADIE EST UNE AFFAIRE D'ÉTAT

Comme pour n'importe quel chef d'État, des écrivains rédigeaient les discours de Ceauşescu. Ils composaient des odes dithyrambiques à sa gloire et mettaient également en forme ses décrets les plus violents. Après 1989, on leur a demandé comment ils pouvaient écrire ces textes en même temps que leurs propres travaux, qu'ils espéraient ainsi publier plus facilement, et l'un d'entre eux a répondu : "C'est un peu comme à l'Ouest, ceux qui travaillent dans des magazines ou dans la pub par exemple, ils encensent des produits sans y croire, nous, c'était pareil."

EN PRÉAMBULE AU DÉCRET :
LES MÉTHODES DE CONTRACEPTION CHIMIQUES PROVOQUENT DES MALADIES GRAVES ENTRAÎNANT LA MORT. ELLES SONT INTERDITES. PRATIQUER LE *COITUS INTERRUPTUS* REND IMPUISSANT. ÊTRE CÉLIBATAIRE EST SUSPECT. AVOIR DES RAPPORTS SEXUELS TROIS OU QUATRE FOIS PAR SEMAINE EST LA PREUVE D'UNE VIE NORMALE. TAUX OBLIGATOIRE D'ENFANTS PAR FEMME : CINQ.

DÉCRET :

TOUTES LES FEMMES DE 18 À 40 ANS DEVRONT SE SOU-
METTRE À DES EXAMENS GYNÉCOLOGIQUES MEN-
SUELS SUR LEURS LIEUX DE TRAVAIL POUR DÉTECTER
UNE ÉVENTUELLE GROSSESSE. CELLES QUI PORTE-
RONT LES STIGMATES D'UNE TENTATIVE D'AVORTE-
MENT SERONT PUNIES D'UNE PEINE DE PRISON. LES
FEMMES REFUSANT D'ENFANTER SERONT PASSIBLES
DE PEINES DE PRISON. LES FEMMES AYANT
CONTRACTÉ DES MALADIES SUITE À DES AVORTE-
MENTS N'AURONT PAS L'AUTORISATION D'ÊTRE SOI-
GNÉES À L'HÔPITAL. SI VOUS SOUPÇONNEZ VOTRE
VOISINE D'AVOIR AVORTÉ OU AIDÉ À PRATIQUER UN
AVORTEMENT, VOTRE DEVOIR EST DE NOUS LE RAP-
PORTER. AVOIR ET ÉLEVER DES ENFANTS, VOILÀ LE
PLUS NOBLE DEVOIR PATRIOTIQUE !

ADIEUX

*6 mai 1984*

La cérémonie est filmée. Le compte à rebours du
reportage consacré aux adieux de la grande gymnaste défile dans le coin gauche de l'écran. Tout ça
ne devrait pas prendre plus de dix minutes. De petits
ronds tièdes et dorés clignotent doucement sur le
tableau d'affichage, forment les lettres : N A D I A.
Les fillettes ont terminé leur danse, elles se tiennent
de chaque côté de celle qui s'apprête à prononcer un
discours, elle a remis sa veste de survêtement blanc
après son dernier passage à la poutre.

À Elle prend la feuille qu'on lui tend, elle connaît
bien l'écriture de l'écrivain qui lui prépare ses textes
officiels. Il va à la ligne souvent pour qu'elle puisse
prendre sa respiration.

À compter de ce jour, commence-t-elle. Mais il n'y
a pas de virgule. Comment est-elle censée respirer ?
Elle jette un coup d'œil à la suite. À compter de ce
jour. Et là, un autre "à compter de ce jour", ce texte
est une litanie sans virgule, un poème sans espace
tapé à la machine sur un papier faible et transparent.

Il reste cinq secondes. Elle n'avait pas prévu de se taire si longtemps, c'est simplement qu'elle cherche la virgule, elle a cru la voir mais non, ses mots sont choisis pour elle une dernière fois, la virgule sautille d'un mot à l'autre, une virgule zéro zéro, elle lève la tête vers eux qui sont sans mots, ils se sont levés, il semble qu'elle retienne toutes les respirations des quinze mille personnes présentes dans l'immense gymnase.

À compter de ce jour je ne concourrai plus À compter de ce jour je n'éprouverai plus À compter de ce jour, aucune des émotions si particulières qui

Elle relève la tête, son regard bouleversant te fixe jusqu'à zéro seconde, 00,00, les yeux cernés d'un trait de crayon, tout doucement l'air s'échappe de sa gorge – un léger soupir, elle se tait, et c'est terminé.

*La seule façon d'éviter les malentendus, les interprétations, me dit-elle, c'est de ne prononcer aucun mot qui puisse être déformé. Alors je me taisais. Beaucoup.*

Il était une fois une histoire, cette histoire-là dont j'envoie consciencieusement chacun des chapitres à celle qui en est l'actrice et la spectatrice. Elle note, juge, exige la révision de quelques passages ou applaudit. Elle tient ma main qui écrit son histoire, m'encourageant à croire et écrire ce qui est parfois inexact, elle le sait sûrement.

Nos dialogues se font difficiles, je redoute ses réactions, je dissimule des bouts de texte comme celui-ci, pourtant anodin, le témoignage d'une journaliste roumaine : "À cette époque, en 1986, elle traînait, elle était un peu en disgrâce, Ceaușescu n'en avait plus besoin, il était furieux d'avoir raté le Nobel de la Paix. Pour nous, elle faisait partie d'une autre époque, l'époque d'or… C'était loin, on en bavait tellement. Elle venait parfois à la rédaction, on buvait un café, les articles sur elle, il y en avait très peu ; on s'intéressait à Aurelia Dobre et Ecatarina Szabó. Elle n'avait pas l'autorisation de quitter le pays, l'explication officielle était que Nadia était « fatiguée nerveusement ». Elle avait grossi, on disait qu'elle buvait."

Et notre conversation nocturne, un soir où je viens de lire des pages et des pages effroyables sur les agissements de la Securitate et les réponses toujours évasives de

*Nadia ne me conviennent pas, je ne parviens pas à croire qu'elle n'ait été témoin de rien. J'insiste, trop sans doute, comme si je m'adressais à une enfant butée. Jusqu'à ce qu'elle me raccroche au nez. Puis, elle me rappelle aussitôt et c'est moi l'enfant. Désolée. Pardon, Nadia.*

*"Comment voulez-vous que je... Je n'en sais rien! Vous pouvez me raconter, vous, les pratiques des services secrets de votre pays? Ils sont meilleurs? Plus propres? Mais vous en savez plus que moi sur la Roumanie, hein, avec toute votre documentation... Savez-vous que la plupart des hauts responsables de la Securitate ont sorti des livres remplis de leurs pseudo-« révélations » après la Révolution, pour être blanchis et retrouver une place dans le nouveau pouvoir? Et c'est ça que vous lisez!"*

*Elle refuse des paragraphes sans que je comprenne pourquoi, comme celui-ci :*

Elle a rendez-vous Piaţa Universităţi avec Dorina. Quand elles se voient, elles n'échangent que des phrases calmes, du temps linéaire. Il s'agit de construire une parenthèse de normalité, s'extraire de ces rues vidées de leurs passants au passage des voitures noires et brillantes lancées à cent kilomètres à l'heure dans la rue Victoriei : le Camarade et sa suite. Ne pas faire comme les autres qui évoquent inlassablement les chers disparus : trombones et amandes, élastiques à cheveux et café, comment c'était déjà l'odeur des saucisses à la coriandre, le chou des *sarmales* qu'on cuisinait avant Pâques, tu te souviens? Et les cornichons à l'aneth dans les gros tonneaux des épiceries et les gâteaux au fromage blanc saupoudrés de sucre glace, arrête, je ne veux pas penser au sucre glace, pas ça.

On est en septembre, la chaleur s'est faite mor-
dorée et indulgente, rien de l'agressive canicule des
jours précédents. Nadia est assise près de la fontaine,
des groupes d'étudiants discutent devant l'entrée du
métro. Certains la dévisagent, pas sûrs que ce soit
elle, la gymnaste. Un quart d'heure, une demi-heure.
Dorina n'arrive pas. La cabine téléphonique est occupée. Sur le banc, trois vieilles femmes discutent, une
d'entre elles lisse du plat de la main un sac plastique
vide et le plie comme un napperon qu'on rangera
dans un tiroir car finalement il ne servira pas. Une
jeune femme la montre du doigt à la petite fille en
uniforme bleu marine qu'elle tient par la main, l'enfant se retourne mollement sans s'arrêter. D'autres
étudiants quittent l'université et se rejoignent à la
fontaine, les cercles se multiplient sur la place. Sans
doute s'appliquent-ils à ne parler de rien, consciencieusement.

Rien en présence de gens qu'on connaît mal, rien
aux proches non plus. Mais rien n'est jamais assez rien
et des ébauches d'ironie surgissent toujours des mots
qu'on s'autorise. Comme ces sourires furtifs qu'on
échange en pensant à un roman censuré et hilarant
sur les deux horribles Vieux Camarades, et dont on se
passe des extraits recopiés à la main (depuis quelques
mois, les photocopieuses de la fac sont trop surveil-
lées). On s'agglutine autour de Dan qui raconte en
détail à ceux et celles qui n'y étaient pas ce film américain, *Recherche Susan désespérément*, projeté la veille
à l'aube dans un vieux parking en travaux.

Nadia les observe, une jeune fille incline son visage
vers le rougeoiement de la cigarette d'une autre, son
chemisier laisse entrevoir un soutien-gorge en transparence, sa peau est neuve et frémissante, elle, elle

attend Dorina qui ne viendra plus, puis, elle rentrera dans cet appartement qu'elle partage avec sa mère et son frère, tant de jours horizontaux sans événements, habiter l'âge adulte.

Alors elle le remarque, seul, lui aussi, il semble estimer de qui il serait mieux de se rapprocher. Peut-être connaît-il ceux-là. Il reste quelques instants à leurs côtés, tente de se fondre, s'inclure, mais on le chasse d'un geste sans même le regarder et il s'éloigne, apeuré, vers d'autres qui lui tournent le dos, cette conscience embarrassée de sa solitude minuscule, on dirait son premier jour dans une nouvelle école, le chien beige ne se résout pas à admettre qu'il ne connaît personne, en vérité, des uns aux autres, il quête, Nadia se lève du banc, elle va pleurer plus loin comme on a la nausée.

*Comment puis-je inventer à ce point, elle me laisse une belle marge, quand même !*

*"En plus, ça n'a aucun intérêt, s'agace-t-elle, je vous ai seulement raconté que j'étais touchée par les chiens errants, la fille que vous dépeignez est lamentable, vraiment.*

*— Non, votre anecdote est belle, lui dis-je en insistant pour qu'elle accepte de laisser cet instant de vie quotidienne dont elle m'a parlé il y a des semaines, où elle s'est sentie bouleversée par la solitude d'un chien."*

*Je passe.*

*"J'ai lu qu'en 1987, des gens accrochaient discrètement au cou des chiens errants des pancartes anti-Ceauşescu, et aussi que l'acteur qui jouait le rôle de Ceauşescu dans une comédie musicale se faisait parfois insulter et cracher dessus dans la rue. Les avez-vous vus et compris, à l'époque, ces signes que quelque chose allait/pourrait bien se produire ?"*

*Et à l'instant même où je prononce ces mots, je les regrette, Nadia a fui la Roumanie quinze jours avant la chute du Camarade. Elle n'a donc probablement rien vu venir, même si, dès l'annonce de sa défection dans la presse occidentale, un journaliste français a affirmé, péremptoire, qu'elle "avait certainement senti le vent tourner, elle était tellement intégrée au régime! Elle a prévu que la démocratie arrivait et elle a préféré partir pour éviter d'être tondue." (29 novembre 1989.)*

*Faut-il arrêter ce récit au moment où Nadia C. quitte le décor et rampe toute une nuit dans la boue et la glace d'une forêt à l'ouest de la Roumanie, vers la frontière hongroise? Fuite du symbole, de l'héroïne, qui perpétuait sans le vouloir le film de celui qui manage le marxisme à sa guise.*

*Faut-il arrêter ce récit au moment où les différentes versions des événements nous séparent sans cesse? Nadia a-t-elle raison, elle qui, plusieurs fois au cours de nos échanges, me reproche de m'être "trop documentée" et de mal connaître la Roumanie, de ne pas oser aller contre cette vision toute faite et occidentale d'une ère communiste cauchemardesque?*

*"Si vous avez souhaité écrire mon histoire, c'est que vous admirez mon parcours. Et je suis le produit de ce système-là. Je ne serais jamais devenue championne dans votre pays, mes parents n'auraient pas eu les moyens, pour moi, tout a été gratuit, l'équipement, l'entraînement, les soins! Est-ce que vous savez seulement qu'en 1988, la Roumanie comptait plus de cinquante pour cent de femmes dans son équipe olympique et la France moitié moins? Pendant les années 1990, il était de bon ton de haïr notre passé comme s'il n'y avait rien eu de bon du tout sous le régime communiste, comme*

si nous n'avions pas de passé ! On a existé ! On a même ri ! Aimé ! Il n'y avait pas de farine ? C'est vrai. On était tous en uniforme ? Vrai ! Vrai ! On ne se moquait pas des enfants qui ne portaient pas la « bonne marque » de sweat-shirt, les vêtements étaient des vê-te-ments pas des symboles ! Et aujourd'hui des personnes de l'âge de mes parents fuient le pays pour aller mendier chez vous, on sait comment ils sont accueillis et c'est vous qui me l'avez dit un jour, fille de l'Est chez vous veut dire." J'ai raccroché avant elle. Laissé le récit au repos.

"Si un jour vous passez par là, nous discuterons, sinon, par mail, c'est possible aussi", m'avait gentiment répondu en anglais, il y a quelques semaines, cette ancienne coéquipière de Nadia, la seule de l'équipe à être restée à Oneşti, la ville qui, aujourd'hui, arbore un gymnase et un lycée au nom de Nadia.

Qu'a-t-elle à dire, celle-là qui n'est pas devenue Nadia C. et que j'ai retrouvée ? Quelle est sa version de l'histoire ? À Iuliana V. et à ces quelques personnes avec qui je communiquais par mail depuis des mois, j'ai écrit, afin de les prévenir de mon arrivée à Bucarest, un séjour d'une durée indéterminée. Et j'étais déjà en Roumanie lorsque j'ai reçu un mail de Nadia, avec cette seule question : "Pourquoi avez-vous eu envie d'écrire ce livre ?"

INTERMÈDE

*Octobre 1989, Bucarest*

Un instant de rêvasserie, le front collé à la vitre du bus qui s'arrête pour laisser entrer des contrôleurs. Elle n'a pas de ticket, mais, confiante, elle répète, sans doute le jeune contrôleur a-t-il mal entendu sa réponse : "Comaneci Nadia. Je suis Nadia!" Mais il ne lève pas la tête, il continue d'inscrire avec soin le nom et le prénom de cette femme brune assise seule au fond du bus humide, au-dessus de la somme qu'elle doit. Et c'est sa collègue qui, s'approchant, lui prend prestement le papier gris des mains et le déchire.

Cette anecdote est citée par divers biographes comme l'incident déclencheur de sa décision de fuir le pays.

*Décembre 1989, Vienne,*
*ambassade des États-Unis*

"C'était dingue. Inimaginable. On savait qu'elle s'était enfuie depuis quelques jours, elle était portée disparue.

Elle entre dans l'ambassade, enfin, une jeune femme entre, en jeans, les cheveux courts, j'ai d'abord pensé que c'était un jeune homme. J'étais à l'accueil, elle s'est avancée – je n'oublierai jamais, franchement, j'ai des frissons rien que de vous le raconter, je l'admirais tellement, ma fille l'adorait, elle jouait à Nadia dans le jardin après les JO de Montréal.

Elle fait : « Je suis Nadia C. Je veux l'asile politique. »"

*24 janvier 1990, Los Angeles,*
*Beverly Hills Hotel*

Gros plan sur ses jambes en collants noirs brillants, les talons de ses escarpins ordinaires sont abîmés, Nadia joue au piano quelques notes de la *Lettre à Élise*. Un trait tremblotant d'eye-liner cerne ses yeux, le rouge à lèvres rose fuchsia déborde de sa lèvre supérieure. Elle aurait aimé être là pour tuer elle-même Ceauşescu, fait-elle soudainement, elle mime grossièrement un revolver de ses doigts aux ongles nacrés : "Shoot! Bang bang!", les sourcils froncés.

Le journaliste lui fait signe de le rejoindre sur ce grand lit d'hôtel, il glisse une cassette vidéo dans le magnétoscope. Elle frissonne. Se tient assise très droite, hypnotisée par elle-même à Montréal, cette petite fille blême qui, à l'écran, pépie devant des adultes émerveillés : "Je suis Nadia!"

# DEUXIÈME PARTIE

## ONEŞTI-BUCUREŞTI

Le soir tombait, j'avais voyagé toute la journée depuis Bucarest en car, l'hôtel d'Oneşti dans lequel j'avais réservé une chambre était désert, chaque chambre aussi vaste qu'une suite. Iuliana m'avait donné rendez-vous dans le hall, elle habitait juste à côté. J'avais imaginé une femme amère, elle était énergique, chaleureuse et pragmatique : tout était prêt comme si le temps était compté. Sur la table de la cuisine, elle a disposé un livre aux couleurs retouchées de l'ère communiste et un album de photos débordant de coupures de presse, le parcours de l'équipe d'or.

"Vous écrivez un livre sur quoi exactement, sur la gymnastique roumaine en général ou sur elle ? Je connais Nadia depuis la maternelle, vous savez, elle a fait en me désignant une photo d'elles deux à l'âge de six ans. Et je suis la première à qui elle a téléphoné quand elle a fui le pays."

L'album photo était l'illustration de ce film que je tentais de reconstituer depuis presque une année, le début de l'écriture.

Béla et Márta jeunes, à peine une trentaine d'années, penchés sur un groupe d'enfants sérieuses en robes chasubles sur les bancs de la classe. Béla et les gamines à Paris, devant la tour Eiffel.

"Cette histoire de tournoi à Paris, comment ça s'est passé, est-ce que Béla a vraiment forcé l'entrée du palais des Sports?" Iuliana a haussé les épaules, puis elle m'a tendu une assiette de gâteau aux pommes : "L'équipe était partagée en deux, moi j'étais à Rome, je ne peux rien vous dire."

Les petites aux sports d'hiver, Iuliana enserrant la taille de Nadia hilare sur une luge. À la mer, chacune un ballon dans les mains, pâlottes et maigrichonnes.

"Vous savez, marquez ça – tenez, voilà un stylo, le vôtre fonctionne mal –, Béla m'a appris à faire du ski, Béla m'a appris à nager, à l'étranger, s'il y avait des choses à visiter, il nous y emmenait, il voulait qu'on s'éduque. Il faisait le guide touristique! C'était bien plus qu'un simple entraîneur, un...

— Un coach?

— Un père. Quel dommage qu'il ait été acheté par les Américains... Aujourd'hui, ici, on n'a plus les moyens d'avoir des championnes, les fonds privés ne souhaitent pas investir. On n'a plus d'entraîneurs, pas de matériel médical qui permette de détecter et de soigner rapidement les blessées, comme on avait avant. Et puis... Qui, de nos jours, ferait tant de sacrifices pour pas grand-chose, finalement? Notre championne d'Europe en 2004 a été obligée de vendre ses médailles dans un show télévisé, tout ça pour s'offrir un studio minuscule, d'autres ont posé dans *Playboy*... Les filles, aujourd'hui, elles rêvent d'être top models. Nous, on voulait être imbattables. Tout a changé à la chute du Mur, même pour les gymnastes... Aujourd'hui, elles doivent être maquillées en compétition, même à dix ans. Paillettes, rouge à lèvres, et leurs lycras sont échancrés, plus… sexy. Vous vous souvenez des nôtres? Pas le même style, n'est-ce pas! Vous avez le temps de noter? Reprenez une part de gâteau! Vous ne m'avez rien demandé sur Nadia, vous vous intéressez à quelque chose en particulier?

— Oui", j'ai répondu dès que j'ai pu glisser un mot. Alors, j'ai récité ce que j'avais préparé pendant mon voyage, des questions fatiguées et mal formulées auxquelles elle a renvoyé des réponses courtes qui m'ont paru concoctées à l'avance. Il n'y aurait rien à apprendre ni à découvrir.

"Autre chose", j'ai ajouté, cette interrogation naïve qui me taraudait depuis des mois : Nadia avait-elle une ou des amies très proches, avec qui elle aurait pu partager autre chose que la gymnastique? Elle ne m'en avait fait aucune mention.

Iuliana m'a souri, une pause, puis : "Peut-être quand elle avait sept ans, oui. Après, comment voulez-vous…

— Vous voulez dire qu'elle n'avait pas le temps? Ou qu'elle suscitait trop de jalousie?"

Elle m'a interrompue en agitant les mains comme pour dissiper mes mots : "On ne pouvait pas être jalouses d'elle, ce qu'elle faisait était trop… loin du possible. Nous étions un brouillon de Nadia. J'ai lu tant de portraits d'elle qui se focalisent sur ses résultats, mais n'importe quelle sportive désire gagner! Elle, comment dire ça… elle aimait gagner… du terrain sur… Nous sommes toutes des brouillons d'elle et je ne parle pas des médailles… C'est un peu pour ça que vous vous y intéressez aussi, peut-être?" Puis, sans attendre ma réponse : "ce qui m'épatait, c'est que ses parents ne venaient pas s'entretenir avec Béla à la fin du trimestre. C'était Nadia, seule, face à lui. Elle l'affrontait. Il l'adorait. On avait parfois l'impression que c'était lui qui suivait ce qu'elle proposait, pas l'inverse! Nadia n'en avait rien à faire de plaire. Quand elle était gamine, on le lui reprochait, elle disait qu'elle avait trop à faire à combattre les monstres, je ne sais pas trop ce que le mot contenait pour elle! Mais… Vous avez été en contact avec elle, j'imagine, alors vous savez tout ça." Nous nous sommes regardées sans rien dire, engourdies de l'absence de lumière dans la pièce. Elle m'a souri.

"Il faut que vous alliez voir le gymnase et la statue, m'a-t-elle conseillé quand je me suis levée, j'aurais aimé vous montrer la salle moi-même, hélas, on est samedi et aujourd'hui les petites ne travaillent plus le week-end, nous, on s'entraînait sept jours sur sept!"

Nous nous sommes quittées, elle m'a promis de m'envoyer la recette du gâteau par mail.

Le lendemain matin, j'ai suivi le chemin qu'elle m'avait indiqué, la rivière caillouteuse, l'arrêt de bus. "On était tellement épuisées après l'entraînement que même si Nadia habitait à trois cents mètres, rentrer à pied était impossible!" Une statue de bronze sali annonçait l'entrée du parc, les mains d'une jeune fille suspendues en souplesse arrière entre le gazon et le ciel, et dessous, gravés, leurs sept noms de gamines, un monument d'hommage aux enfants soldates évanouies dans l'âge adulte.

Le gymnase avait l'air d'une large tortue assoupie, des losanges de verre fendaient l'azur écaillé des façades, j'ai fait le tour jusqu'à ce qu'un jardinier s'approche et me demande de m'éloigner.

J'ai ensuite passé une semaine à Bucarest. Rencontré trois journalistes, dont deux avaient commenté

Montréal. Un écrivain, aussi. Chacun d'entre eux me reliait à plus de rencontres encore, "Écoute je connais quelqu'un qui…" Je suis allée dans des fêtes, des colloques, des pique-niques et des bars, on s'émerveillait du temps merveilleux en ce début avril, cette douceur, mes hôtes évoquaient mon sujet avec respect, quel beau sujet, la plupart me contaient des anecdotes que je connaissais déjà. Je n'avais aucune question à poser. Parce que je n'enquêtais pas. J'avais envie d'écrire à Nadia C., notre échange me manquait mais mes tentatives de lettres ressemblaient aux excuses d'une amante contrite et ambiguë : je n'apprends rien, Nadia, que vous ne voudriez que je sache, je ne vous trompe pas. Il ne s'agissait pas, contrairement à ce qu'elle avait insinué, de découvrir les faces cachées de son récit, mais simplement d'entendre son parcours non réécrit, y compris par elle-même.

J'arpentais Bucarest, ses chaussées adoucies des tracés de tramways, la nuit tombait entre les maisons, une masse douce et sombre à peine trahie par de rares lampadaires aux lueurs orange qui ne permettaient pas de déchiffrer les trottoirs irréguliers. J'empruntais des boulevards immenses, les blocs d'immeubles construits dans les années 1970 aux façades ternes se concluaient sur une large place envahie d'un H&M gigantesque et presque vide, assis à terre, un pope tendait vers les passants une coupelle ornée de fausses pierres rouges, bleues et vertes, un panneau à ses pieds : "Aidez-moi." L'image était si symbolique qu'elle paraissait mise en scène à mon intention. Je m'empressais de prendre des notes puis je traversais le boulevard et j'étais détrompée, des ruelles calmes se croisaient, démentaient la certitude du libéralisme central. On se sentait à l'abri. Les maisons se serraient, toutes dissemblables, des courettes rectangulaires se révélaient derrière des palissades parfois renforcées de tôles, ça sentait l'odeur des feuilles mortes qu'on brûle, un jeune garçon battait un tapis étendu sur un fil à linge, le chant d'un coq résonnait. Des boutiques aux enseignes incompréhensibles pour moi, dont la vitrine révélait l'utilité, des horlogeries, des réparateurs d'aspirateurs ou de poupées, des barbiers, des couturières, des merceries. Dans la journée, les chiens errants dormaient aux portes des boutiques ou au creux des mottes de terre des plates-bandes, au coucher du soleil, ils se regroupaient le long des grands axes où les voitures filaient, ils regardaient à droite, à gauche, avant de traverser précautionneusement.

Vous ne m'avez jamais parlé des arbres de Bucarest, j'aurais pu commencer ma lettre à Nadia comme ça, de façon concrète et anodine ; ici, les arbres surgissent au travers des toits des maisons abandonnées et l'herbe traverse les saignées d'un trottoir éventré, ici, les arbres s'ouvrent au-dessus de leurs ombres, les feuillages s'installent, s'instaurent. Des ormes, des lilas, des chênes, des saules, des frênes, des peupliers et des érables, des tilleuls et des charmes emportent l'espace, concluent le temps.

Vous ne m'avez jamais dit qu'ici rien n'est caché, chez nous, à l'Ouest, les câbles, on les enterre, les façades, on les ravale, il faut bien présenter, les chaussées sont lisses et bétonnées de frais ; ici, au passage des trams, des amas de câbles mystérieux emmêlés frémissent doucement près du ciel.

Je marchais au hasard, j'allais à mes rendez-vous à pied, je notais tout avec ferveur. Le pont surplombant la Dâmboviţa et sa rambarde écroulée sur deux mètres qui n'était pas signalée, on ne présumait pas ici de la fragilité des citoyens : à Bucarest, aucun de ces panneaux clignotants prévenant que demain il ferait chaud et qu'il faudrait boire de l'eau, les trous béants d'asphalte émietté formaient des cratères que les passants évitaient sans cesse de parler au téléphone. J'observais un jeune couple devant moi à la caisse d'un supermarché, lui barbu, tee-shirt Paul Smith, elle, cheveux teints en noir serrés en queue de cheval haute, un joli visage graphique, consciente de ses cils démesurés et de son teint parfait, ses sourcils redessinés au crayon ; ses doigts imprimaient des caresses ailées à l'écran de son Smartphone. Elle et le barbu étaient déjà à la porte quand la caissière les a hélés, dans sa main, la monnaie qu'ils n'avaient pas daigné prendre. Leur monnaie nonchalante de nouveaux riches dans la main de la caissière stupéfaite et amère, comme si elle ne savait pas à qui appartenait cet argent maintenant qu'il était abandonné.

J'avais rendez-vous dans des cafés tendance installés dans de belles maisons victoriennes au porche en fer forgé, les jardins décorés d'ampoules multicolores étaient remplis de jeunes habillés comme partout en Europe, un de ces cafés était décoré "à l'ancienne", il fallait comprendre comme sous le régime communiste, et c'était le lieu le plus couru de la ville, on n'y passait que de vieilles chansons de pionniers. Entre Zara et Bershka, les haut-parleurs d'une église engoncée diffusaient la voix modale du pope, la mélodie ouvrait les bras à la rue ravagée de moteurs bruyants, à l'intérieur de l'église, les lumières rouges adoucissaient l'or des icônes que tous embrassaient à tour de rôle, régulièrement, une vieille dame, un chiffon et un produit lave-vitres à la main, essuyait le visage en verre de la Vierge. Sur la table, des femmes aux cheveux couverts déposaient quelques offrandes, une brioche appelée *cozonac*, des œufs durs et des bouteilles d'huile protégés de sacs en plastique, un sac Mickey renfermait tant de cadeaux que ses poignées déchirées pendaient sur le front du Christ.

Des hommes âgés vêtus comme pour une soirée d'importance, étrangement compassés, se tenaient seuls devant ce qu'ils vendaient sur le trottoir, un recueil de Verlaine en français, une balance de salle de bains datant des années 1970 et quelques piles. D'autres, debout près du coffre de leur voiture ouvert comme un étal, proposaient des cageots de fruits bien rangés, des bottes d'aneth, des paires de chaussettes neuves, des aubergines, des poivrons rouges et ronds, du papier-toilette et des clous. Je marchais vers ce qui fut le palais de Ceauşescu, il me semblait proche et plus je marchais, plus il s'éloignait, je racontais ça à ceux que je rencontrais, assez contente de ma remarque, ils haussaient les épaules, tous avaient fait cette expérience, l'envergure de ce bâtiment était incalculable, pourquoi ne pas le démolir, je demandais, on me regardait, fâché, on n'a plus de passé à force de tout taire, disaient ceux et celles qui avaient été témoins, enfants, de sa construction, déjà que les vieux ne supportent pas qu'on raconte nos bons souvenirs !

Je me perdis un soir et errai dans des rues évasives et sans plaques, des zones d'inquiétude, les arbres traversaient les palissades et le béton troué, des gamins m'observaient comme des nains fureteurs. Je m'arrêtai pour regarder un plan, on m'abordait pour m'aider, en français, en anglais, et souvent on finissait par discuter longuement sans se connaître. Je commençais à être rodée, savoir que j'allais entendre qu'avant, en dépit du "reste", tous avaient un travail et un appartement, personne au chômage. Avant, il n'y avait rien dans les magasins, aujourd'hui, il y a tout et on n'a pas les moyens d'acheter quoi que ce soit, alors quel système est le meilleur, ils posaient la question comme une équation amère. On me montrait une affichette annonçant un rassemblement en hommage à la révolution de 1989.

"En 1989, ont-ils donné leur vie pour que nous ayons plus de Coca-Cola et de McDonald's? Ont-ils donné leur vie pour que nous devenions esclaves du FMI? Sont-ils morts pour que nous nous enfuyions toujours plus loin de cette Roumanie qui ne peut nous offrir une vie décente? Morts pour que des milliers de personnes âgées dorment dehors et meurent de froid? Sont-ils morts pour que l'Église orthodoxe soit cette affaire prospère qui ne paye aucun impôt à l'État? En 1989, ils ont donné leur vie pour notre liberté. Ce fut leur cadeau de Noël. Où est ce cadeau? Qu'avons-nous fait de cette liberté? Est-elle rangée dans une cave ou la suivons-nous d'un œil distrait comme une vieille émission télévisée?"

Dans une fête d'anniversaire, je prononçais votre nom, ils se redressaient comme si vous veniez de surgir dans votre justaucorps blanc, respectueux de ce dix inoublié. Tard dans la soirée, quelques filles saoules d'une trentaine d'années se levaient pour entonner une chanson de pionniers apprise en primaire, confuses d'avoir tellement aimé chanter les chansons à la gloire du Camarade, un jeune homme aux cheveux souples soupirait *comuniști* à leur adresse tout en traçant des signes de croix rapides sur sa poitrine.

Admirer celle qui a fricoté avec le fils Ceauşescu, une belle opportuniste, la façon dont elle s'est enfuie grâce aux services secrets en abandonnant tout derrière elle, franchement, pourquoi lui consacrer un livre, lançait-il sans me regarder, rageur, tandis qu'une femme secouait la tête en se bouchant les oreilles, ça suffit, taisez-vous, vous êtes maudits, tous autant que vous êtes, maudits, vous qui osez égratigner l'enfance, le merveilleux, parler de cette façon de notre Nadia qui nous a offert tant de joie!

À l'aube, je demandais pour la énième fois : "Comment c'était ici, les dernières années?", ces années 1980 au cours desquelles tous étaient gamins, et ils se coupaient la parole tant ils semblaient désireux de me donner leur version des choses.

Une fille faisait la moue quand je récitais ma documentation, cette suite de décrets atroces : "Tout ça est vrai. Mais… On était tellement sûrs que ça ne changerait jamais qu'on s'organisait pour durer, on avait cette vigilance intérieure, pas un instant on n'oubliait que ce qu'on nous faisait réciter était faux. Du coup, on se sauvegardait une vie en dehors de l'État. Le communisme? Mais personne n'y croyait, enfin, pas même les sécuristes! Alors que maintenant… Ils y croient! Ils en veulent! Ils sont prêts à tout pour entrer dans votre Union européenne, à genoux devant saint Libéral, ils sortent du boulot à 23 heures, tout ça pour quoi? Je ne suis pas partie en vacances depuis six ans! Mes parents eux, sous Ceauşescu, allaient à la mer et à la montagne, au restaurant, au concert, au cirque, au cinéma, au théâtre! Tout le monde gagnait plus ou moins la même chose, les prix n'augmentaient presque pas! Ils avaient constamment peur, c'est vrai, peur qu'on ne les entende dire des choses interdites, aujourd'hui, on peut tout dire, félicitations, seulement personne ne nous entend… Avant, on n'avait pas l'autorisation de sortir de Roumanie, mais aujourd'hui, personne n'a les moyens de quitter le pays… Ah, la censure politique est terminée, mais pas de souci, elle a été remplacée par la censure économique! Avec ce régime pseudo-libéral qui fait mine de cajoler tandis qu'il empoisonne, on l'ingère parce qu'il n'a pas tout à fait le goût d'un ennemi, on finit par y croire, et à la fin, dans quel état ça vous laisse? Vidée! Le communisme a détruit le pays? Mais aujourd'hui, des sociétés canadiennes chassent les habitants de leur village et s'apprêtent à faire exploser nos montagnes pour explorer les gisements de gaz de schiste, avec la bénédiction du gouvernement roumain, un sacré contrat! Ceaușescu a démoli la ville, disent nos parents? Mais cette nuit, à 4 heures du matin parce qu'ils craignent les opposants, les promoteurs ont fait tomber une ancienne halle, un lieu historique de Bucarest… Pour le remplacer par quoi? Un supermarché ou des bureaux. C'est quoi votre modèle? Crever de faim dans la rue ou mourir de solitude dans son appartement? L'ennui à crédit? Parvenir-réussir-arriver? Où ça?? J'en ai marre d'être obligée de vous désirer, le rêve occidental, ah, ces pauvres crasseux de l'Est à qui vous ne cessez de faire la leçon avec votre merveilleuse démocratie idéale, ça va, on a compris!"

"Écrivez-le s'il vous plaît, avant, personne n'avait envie de regarder ces émissions idiotes et patriotiques à la télé, du coup, on sortait, on vivait dehors, pas recroquevillés chacun chez soi, on partait à la campagne tous ensemble, écrivez-le, oui, on avait peu de produits, mais quinze sortes de café, vraiment, pourquoi ? On faisait de la musique et de la danse gratuitement, vous l'avez noté ça ?" s'inquiétaient-ils, garder la trace de ce versant-là et pas que les témoignages amers de leurs parents, leur terrible version, les tickets de rationnement, la surveillance, le froid, la peur. Je notais pour prendre acte, je notais la ville, les gens, le pays, les mots, comme s'il y avait eu quelque chose là-dedans, des indices, je notais, chaque commerçant m'accueillait d'un *"spuneți?"* (dites-moi ?), que je traduisais par avouez, dites ce que vous avez à dire, je pensais sans cesse à ça, est-ce qu'elle avait dit ce qu'elle avait à dire, est-ce que je l'avais entendue. Je prenais note de ce pays qui vous a fabriquée, arborée et que vous avez quitté le 28 novembre 1989.

## REMPLIR L'OMBRE

À moins que ça ne soit la nuit du 26 au 27.

Et savez-vous qu'elle a tout bonnement disparu de la circulation les 29 et 30 novembre entre la Hongrie et l'Autriche, me demande, ravi de m'offrir les prémices d'une belle version officieuse de l'histoire, un ancien proche de P., celui qu'on désignera d'une initiale car il ne "veut plus parler de toute cette histoire aujourd'hui". Ce P. présenté partout comme l'initiateur de la fuite, le cerveau, celui qui convainc Nadia de quitter enfin son pays dans lequel il ne lui reste aucun futur.

Ça faisait deux ans qu'elle le connaissait. Non, un an. Nadia, elle, dans les nombreuses interviews données à son arrivée aux États-Unis affirme l'avoir rencontré quelques mois avant l'épopée.

Pourquoi en faire un personnage, de ce type d'origine roumaine, installé en Floride depuis une dizaine d'années qui, lors d'une visite à Bucarest, rencontre l'ancienne gymnaste dans une fête et lui fait comprendre qu'il peut l'aider. D'ordinaire, personne ne s'intéresse aux "passeurs" des défections célèbres. Faut-il toujours un manager de ce corps mécanique, toujours quelqu'un qui intime à Nadia C. où et comment se déplacer, quels gestes effectuer ? Est-on incapable d'imaginer Nadia prendre une décision ? P. s'empare de la place vacante, celle d'un nouveau marionnettiste de l'ancienne petite fille, il remplit l'ombre et finit par lui en faire tant que l'évasion de Nadia C. devient, dans les médias du monde entier, l'histoire de ce qui la lie – ou pas – à P.

*

Quand nous nous rencontrons à Oneşti, Iuliana me relate cet appel qu'elle reçoit de son ancienne coéquipière alors portée disparue.

"Elle n'a pas parlé tout de suite, j'entendais simplement une respiration. Elle a chuchoté : « Allô ? C'est moi. »

— Que voulait-elle ?

— Rien… Je crois qu'elle voulait simplement entendre ma voix, une voix amie. Je pleurais, je ne pouvais pas m'arrêter de pleurer… Les journaux venaient de révéler qu'elle s'était enfuie. J'étais terrorisée que la Securitate la rattrape, qu'on la tue, je répétais où es-tu où es-tu Nadia, elle a promis de me rappeler et a raccroché."

En 1989, un journaliste français conclut son article sur la défection de Nadia ainsi : "Nadia a dû contacter son ancienne coéquipière pour que celle-ci l'encourage dans son choix, Nadia, on le sait, change d'avis comme de justaucorps."

## SUPER SUPER E

"Ne me dites pas, comme tout le monde, ce que j'aurais dû dire ou faire à l'époque! s'irrite Nadia un jour où nous évoquons sa défection et où je viens de l'interrompre maladroitement pour lui demander quel a été le vrai rôle de P.

À l'époque, je croyais que si je suivais les instructions, si je m'en remettais au… responsable, j'avais de meilleures chances de survie." Elle hésite un instant avant le mot "responsable", et comme je veux savoir si elle parle des entraîneurs "responsables" de l'équipe, elle précise : "Non, c'est un terme général pour dire l'homme, la personne." Cette conversation se termine plus légèrement quand nous évoquons une vidéo d'elle :

"Ce sont des super E! Ultra-risqués. Des figures que personne ne pouvait, enfin, n'osait tenter.

— Aucune femme à l'époque?

— Aucune. Et aucun homme."

## LA COULEUR DE LA VOIX,
## CE 29 NOVEMBRE OÙ NADIA A FUI

Combien sont-ils, dans tout le pays, à avoir fait de leurs nuits un rituel secret ? Ranger la vaisselle, coucher les enfants, puis, préparer le thé et disposer les chaises dans la cuisine pour les amis qui arriveront, ceux qui n'ont pas de postes de radio. Les accueillir en chuchotant, s'installer, rien que des signes de la main pour se passer le sucre, l'oreille collée au transistor pour trouver la bonne fréquence, celle de Radio Free Europe, la radio clandestine. Parfois, on le perçoit chez les voisins aussi ce grésillement haché de mots, alors, le lendemain, on se saluera dans l'escalier de phrases anodines qu'on voudrait chaleureuses, nous qui écoutons la voix. Nous qui suivons la voix, ce ruban signalant un dernier signe de vie, nous qui sommes ensevelis, qui nous sommes laissé ensevelir sous la grossièreté tragique du texte national du Camarade, ces hymnes, ces odes "unanimes" au "plus grand dirigeant mondial".

Il nous reste la nuit et la voix pour nous rendre à la raison, amers de ne même pas oser monter le son, ne pas oser sortir des places qu'ils nous ont assignées dans cette ronde de silence paranoïaque. Tous et toutes ensemble sans pouvoir se rejoindre, tous spectateurs nocturnes et muets d'un monde tout à fait extérieur qui s'ébrèche et proteste depuis quelques mois. On assistera à l'Histoire depuis sa cuisine, surexcité et amer comme si chacune des nouvelles agitant les voisins, la participation de Solidarność au gouvernement polonais, les premières élections libres il y a quelques semaines en URSS et en Hongrie, tout ça renforçait la certitude qu'ici, ça ne changera jamais. On restera aux premières loges glacées, une place de plomb. On accueillera avec respect les avancées des autres, ces brouhahas merveilleux, ces cris, leurs larmes de joie, quand, deux semaines auparavant, le mur de Berlin tombe.

On se regarde sans mot dire dans la cuisine, les yeux écarquillés, on tente de se représenter le mur littéralement "tombé". On s'exaspère, la voix néglige trop de détails! Que font les soldats, ont-ils jeté leurs armes? A-t-on installé une chaise, un tabouret à M. Rostropovitch? Y a-t-il du vent? De la neige? On écoute, la tête baissée, on fixe le carrelage glacial de la cuisine, défait de solitude, écrasé aussi par l'héroïsme de ces anonymes, on écoute la voix lire ces lettres d'opposants roumains parvenues tant bien que mal au siège de la radio, cachées dans une poupée, un vase, au fond d'une boîte de chocolats, des mots urgents qui, ces derniers temps, se multiplient et se répondent.

Alors en comparaison de tout cela, de cet hiver 1989, que vaut l'histoire d'une dernière cabriole?

Pourtant, le 29 novembre 1989, beaucoup s'en souviennent, car, pour la première fois, la voix a fait erreur. Elle n'a pas donné la date, elle n'a pas donné

261

l'heure, elle n'a pas annoncé le titre de l'émission, la voix s'est précipitée vers eux, et, sans rien ajouter, la célèbre voix de Radio Free Europe a annoncé : *"A fugit Nadia. Nadia s'est enfuie. Nadia is gone."*

*A fugit Nadia.* Ceux qui l'adoraient la pleurent. On parle d'un corps criblé de balles retrouvé dans la forêt hongroise. Du cadavre d'une femme qu'un paysan a repêché dans un lac gelé. Et Le-Fils-de, qui s'est rendu à l'aube au poste-frontière où elle serait passée en secret, il a laissé des traces de sang sur les murs, on n'a aucune idée de ce qu'il est advenu des soldats.

La gamine est partie. La gorge serrée, on ressort de vieilles photos découpées dans le journal, on se souvient de cet air de musique, un charleston, sur lequel elle évoluait, invincible petite fille qui faisait monter les frissons et les larmes, la gamine.

*Alias* "Corina" pour la Securitate qui se met immédiatement à sa recherche jusqu'en Hongrie, tandis que ses parents et ses proches, qu'elle pourrait contacter, sont placés sous surveillance spéciale. Elle n'avait aucune raison de partir, elle a dû être influencée par des agents venus de l'étranger, elle, cette "sportive populaire dont les résultats sont la conséquence des conditions créées par notre pays pour valoriser les talents de la jeunesse!"

Ceux qui la tenaient pour une vendue au pouvoir sont abasourdis, elle remonte dans leur estime. Imaginez. Si elle a quitté le pays, elle qui était tout de même privilégiée… Voilà. Maintenant, nous sommes enfermés, seuls. Le dernier qui quitte le pays éteint la lumière en sortant, dit-on à l'époque, amèrement fier des rires qui suivront cette boutade.

LA GRANDE TRAQUE :
RECHERCHE NADIA DÉSESPÉRÉMENT
*(L'ÉQUIPE)*
MAIS OÙ EST NADIA? *(LE MONDE)*

*1er décembre 1989*

Au centre de sa disparition, elle s'éclipse. Elle creuse le mystère. Comme lors de ces deux journées étranges en 1978 où elle reste introuvable alors qu'elle est sous surveillance constante à Bucarest, et personne ne réussira à la retrouver avant qu'elle ne se décide à réapparaître. Trafic de temps, trafic de chiffres, ordinateurs affolés, curseurs détraqués. Tous les documents le soulignent : quelque chose cloche dans le récit de la fuite de Nadia C. Des imprécisions, des inexactitudes, des incohérences. Je soumets une version de cette fuite à Mihaela G. : elle a quitté le pays en 1985 en suivant la même route. Elle me renvoie mon texte avec des mots soulignés, des phrases transformées en interrogations.

Nadia quitte Bucarest la nuit du dimanche 26 au lundi 27 dans une voiture de location en compagnie de six autres personnes. P. les dépose près d'un poste-frontière, leur donne rendez-vous en Hongrie. Mais le groupe s'égare et franchit la frontière à un autre point, le 28, à 6 heures, à Mezşgyán. On apprend sa fuite le mercredi 29 à 8 h 36 par une dépêche. Elle raconte avoir marché six heures à travers les forêts gelées et être partie le dimanche soir, elle serait arrivée en Hongrie le lundi à l'aube. Quel est ce vide de trente-six heures ? Comment ont-ils pu louer une voiture le dimanche soir à Bucarest ? Comment P., qui a fui il y a dix ans, a-t-il pu rentrer dans son pays sans éveiller les soupçons ? Comment Nadia a-t-elle pu passer inaperçue, elle qui était célèbre et suivie en permanence ? Il y a environ quatre cents kilomètres de Bucarest jusqu'à Timişoara, il est impossible qu'ils n'aient pas été contrôlés sur le chemin, qui plus est, la nuit dans une voiture de location. Avec quel argent a-t-elle payé P., qui exigeait cinq mille dollars par personne pour les faire sortir du pays, elle qui touchait à peine cent cinquante dollars par mois ?

Le 29, l'alerte est donnée à Bucarest, la Securitate part à sa recherche. La télé hongroise annonce à midi qu'elle a disparu de l'hôtel où la police les logeait en attendant de leur accorder ou pas l'asile. Le bruit court qu'elle a été enlevée par la Securitate. Les employés de l'hôtel, eux, pourtant, révèlent aux journalistes qu'elle est partie la veille dans une voiture autrichienne. Une source non identifiée la reconnaît formellement dans les toilettes d'un restaurant en Autriche. Un journaliste anglais, qui se présente comme son "amoureux caché", est persuadé, lui, qu'elle a été enlevée par la CIA.

Béla se trouve à Montreux en compagnie de l'équipe de gym américaine, il est évidemment soupçonné d'être l'instigateur de la fuite ; sa présence en Europe est <u>un hasard</u>, proteste-t-il. Sa déclaration à la presse : "Nadia sait que le mieux est de se rendre à l'ambassade américaine à Berne", est-ce un message pour elle ? Et pourquoi, à Berne, l'ambassadeur s'est-il tu <u>vingt-quatre heures</u> avant de finalement promettre à la presse qu'elle n'était pas là ? Pour lui laisser le temps de fuir le pays ?

Elle arrive à New York dans les seuls vêtements qu'elle possède, ceux avec lesquels elle prétend avoir traversé des "kilomètres de neige". <u>Quelle neige ?</u> La météo du 27 novembre 1989 indique des températures comprises entre moins trois et moins sept, un vent d'ouest mais <u>pas de neige</u>.

Comme lorsque Nadia était ma seule interlocutrice, les faits se chevauchent jusqu'à former un amas opaque ; on me parle d'un officier qui aurait reçu l'ordre d'interdire aux soldats de patrouiller à l'heure et à l'endroit où, précisément, le groupe a traversé la frontière. Puis c'est un ancien soldat, Valeriu C., qui affirme que le 26 novembre 1989, un sous-officier l'a prévenu que, "très bientôt", il rencontrerait en chair et en os la grande gymnaste.

## LE DERNIER MOT DE L'HISTOIRE

Aucun doute, me dit-on, c'est un coup des services secrets hongrois. Ils ont tout organisé à partir d'informations données par Béla K. Une équipe d'agents l'a guidée à travers les forêts jusqu'à la frontière.

Les Hongrois ? Évidemment que non, ce sont les Américains ! Vous ne pouvez ignorer que sa fuite était une aubaine pour les services secrets de l'Ouest qui cherchaient à faire chuter Ceauşescu, quelques jours après sa réélection programmée et "triomphale" lors du 14e congrès du Parti. D'ailleurs, le fait que les médias américains aient relaté chacun des détails de la fuite de Nadia, en même temps que le sommet de Malte, au cours duquel Gorbatchev et Bush ont déclaré que "la guerre froide était révolue", montre bien la façon dont l'événement a été instrumentalisé politiquement.

Je rêve d'elle, amusée de m'imaginer coincée dans le récit ; sans son aide, comment avancer, comment raconter cette nuit passée à marcher dans la boue de la forêt gelée. Elle qui s'agaçait de me voir accumuler un maximum de documentation et qui aurait préféré être ma source unique, voilà qu'elle me démontre que sans elle je ne peux rien : je ne peux pas raconter la façon dont Nadia C. a quitté le décor. Une préparation parfaite pour cette sortie maîtrisée sans hésitation, un uppercut, un crachat à la gueule du Camarade. Nadia vient de subtiliser le dernier mot de l'histoire.

*La bonne exécution d'un exercice au sol comporte cinq points : d'abord, la gymnaste doit sécuriser l'arrivée de ses diagonales d'acrobaties. Ensuite, elle doit prendre de la hauteur avant de se lancer dans des figures périlleuses, pour être bien notée et, aussi, par sécurité. Avoir beaucoup d'endurance parce que si elle s'essouffle avant sa dernière course, elle sera en mauvaise posture. Il faut qu'elle soit bien préparée pour éviter les blessures. Et enfin, il faut qu'elle soit capable de "vendre" son numéro aux juges et au public.*

*Nadia C.*

## MISE AU POINT SUR L'INFINI

*Vendredi 1er décembre,*
*16 h 40, Kennedy Airport*

L'écran de la télévision est partagé en deux. Sur la
droite, en boucle, la poignée de main entre Gorbatchev et Bush à Malte. Sur la gauche, le vol 29 de la
Pan Am est immobilisé sur la piste d'atterrissage, l'air
gris fait des vagues, un mirage de froid. Les journalistes se sont entassés contre la barrière de sécurité,
où est-elle, un point en bout de piste entouré d'uniformes, c'est elle, ils crient son nom, elle répond
en agitant la main, bon Dieu la chaleur qu'il faisait cet été 1976, cette nuit où, dans l'hôtel réservé
à la presse, ils attendaient impatiemment l'aube du
18 juillet qui verrait arriver les preuves papier de ce
à quoi ils venaient d'assister, les photos enfin déve-
loppées de celle qui ne souriait pas. Électrisés par son
petit corps compact et méticuleux, ils étaient restés
tard devant les *replays* télévisés de son évolution à
la poutre et s'étaient éveillés de quelques heures de
repos, comme lavés de leurs amours précédentes,
remis à neuf par son maillot sous lequel pointait

son coccyx, lorsqu'elle se penchait pour enduire ses adorables menottes de magnésie.

Ils l'ont dans le viseur maintenant, mais elle est trop loin encore, cachée par des policiers de Port Authority et la police des frontières. Ils respirent précautionneusement afin de ne pas trembler et flouter l'image, ce moment est historique, mise au point sur l'infini. La voilà. Elle tient une rose rouge à la main dans la buée givrée. Elle sourit. Un peu du bleu irisé des paupières s'est déposé sur les cernes de ses yeux sombres. Très moyennement photogénique, ce rire qui élargit ses joues marbrées de rouge. Elle recoiffe ses cheveux, des mèches blondes comme des ailettes cendrées, elle disparaît sous un essaim de lumières et de caméras, un embouteillage d'injonctions répétées, plus à gauche, tourne-toi! Elle rit. Jamais on n'a entendu son rire. Ses lèvres sont pâles et nacrées. Un reporter glisse un papier à l'homme qui lui tient le coude, un flic sans doute, il déplie le bout de papier au milieu de la cohue et murmure quelque chose à Nadia. Elle hoche la tête et se penche vers un micro tendu par un poing appuyé contre sa poitrine. Aussitôt, des sifflets de protestation, des huées : le tabloïd anglais *Sunday Mail* vient de monnayer l'exclusivité de son récit à venir.

Tous n'ont pu entrer dans l'immense salle du terminal où Nadia participe à une courte conférence de presse tout en reprécisant qu'elle ne dira rien de son épopée. Qui est-il, celui qui se tient à ses côtés? Elle minaude, hésite : un ami! Avant de se raviser : non, un… manager! Ils portent le même blouson épais de jean pâli, le même pantalon, le même sourire aux dents ternes, autour de son cou, une chaîne dorée à gros maillons qu'elle ne cesse de triturer. Petite frappe au rictus rock'n'roll, ses seins dissimulés par le blouson, les cheveux courts plaqués en arrière, de la nacre, du fluo et du gel. Elle est un petit garçon, la belle aventure ô gué.

Ira-t-elle voir Béla? Probablement, répond-elle, avant d'enchaîner, très guillerette, en anglais : "Je suis très heureuse que je suis ici, en Amérique. Pour depuis longtemps je voulais venir mais je n'aurais personne pour m'aider à le faire. Je voudrais une vie tranquille, je vois que ça ne va pas être trop possible", conclut-elle, goguenarde et charmeuse. Elle quitte la conférence de presse dans une voiture de police, anoblie de son nouveau statut de réfugiée politique accordé sur les bases de "peurs fondées de persécution". Aux informations, ce soir-là, l'invité Béla K. commente : "J'ai eu peur quand j'ai appris qu'on l'avait vue monter dans une voiture étrangère en Hongrie mais j'étais confiant, elle savait qu'elle devrait se rendre dans une ambassade américaine; là, en revanche, je suis inquiet, très inquiet! Qui est ce P.? Est-il honnête et l'aide-t-il à retrouver la liberté ou va-t-il s'improviser… manager?"

Et elle? De sa chambre d'hôtel, les compte-t-elle, dans les quotidiens du lendemain, ces points qui jouent de leur pouvoir de suspension, odes funéraires à son visage maladroitement fardé en gros plan. "La métamorphose… Elle nous a tellement fait rêver. Nadia a… changé."

## DÉPART DE FEU

*5 décembre*

"Désolée, trop de reporters à l'aéroport de Miami!"
déclare-t-elle après les avoir fait attendre plus de deux
heures, puis : "... Ma première vraie conférence de
presse au Hollywood City Hall, c'est un signe! Vous
savez quoi? On va faire un film de ma vie! Et je joue-
rai dedans!" Un journaliste au fond de la salle : "Ici
c'est Hollywood, Floride, chérie, pas Californie ; ça
change tout, au niveau des signes", accueilli par des
rires, des applaudissements et des sifflets, un chahut.
Elle se tourne vers P. derrière elle, vêtu de la même
veste crasseuse que quelques jours auparavant à son
arrivée à New York, leurs vêtements gardent l'odeur
des chambres de motel quittées à la hâte, des nuits
troubles, des réveils pâteux.

Oh bah tant pis, c'est quoi la question, elle plonge
ses poings dans ses poches, comme devant la glace de
la chambre d'hôtel, sur l'écran de la télé, Madonna
toise les présentateurs de l'émission aux lèvres serrées et désapprobatrices – *SO WHAT*, la masturbation
n'est pas un crime si vous voulez rester vierge, super,

si vous voulez devenir prostituée, c'est votre droit de l'être –, ses lèvres fuchsia sont tellement *SO WHAT*. Prendre la vague! Saisir sa chance! Et devenir soi! Libre, dynamique, prête à tous les défis du monde nouveau, pragmatique et pas coincée, dépoussiérée du communisme, et

"... Pardon, c'était quoi la question?
— Savez-vous, Nadia, que P. est marié et père de quatre enfants?"
Elle penche la tête vers eux, frémissante et jolie. Se tait quelques secondes, humecte ses lèvres, personne ne lui a tendu un verre d'eau.
"Et alors qu'est-ce que ça peut faire? *So what?* Et alors?"

*Deux mots à leur dire. Celle dont le silence, à Montréal, avait interloqué les médias nord-américains, ce silence qu'elle opposait aux centaines de micros tendus vers elle. Cette fermeture de son corps à ce qui ne lui convenait pas. Plus tard, elle récitera, ça oui, elle ne rechignera pas à lire des discours concoctés par des écrivains officiels, celle qui jamais ne s'est exprimée en public sans qu'on lui prépare son texte. Et ce n'est qu'au moment où elle décide de mettre fin au récit préfabriqué du régime roumain que Nadia prononce ses premiers mots choisis, une déflagration :* So what.

So what – *tronqué : dans le brouhaha, ils ont mal entendu, elle a dit :* "So what? He's not my boyfriend, just my friend." *So what –* niveau d'anglais débutant : *elle n'avait pas compris la question et elle a répondu quand même.*

*Est-il nécessaire d'aligner ses explications qui se succéderont sur deux décennies d'interviews : je savais qu'il*

était marié et qu'il avait des enfants mais je pensais que ça ne me concernait pas, c'est ça que j'ai essayé de dire : so what, *il m'a juste aidée à m'enfuir*. Ou est-il plus juste de reproduire ici mes notes, prises il y a des mois, un jour où elle me raconte les circonstances de sa fuite. Des notes que je rédige trop succinctement, pensant qu'on y reviendra une autre fois, agacée qu'elle ne suive pas la chronologie de sa vie pendant nos entretiens : je préfère, moi aussi, lui écrire son texte tel que je l'entends.

## Notes fuite Nadia

*"Départ minuit. Six heures de marche. Lampe de poche impossible forêts.* SURTOUT *ne pas courir (ils tirent sur les fuyards + les chiens) marche mains sur les épaules de la personne devant pour ne pas se perdre. Ne pas penser à une balle dans le dos. Concentre-toi sur : rester vivante. Lac 1/2 gelé eau genoux glacée anesthésie le froid elle pense je vais être tuée pcq je marche derrière un type qui n'a aucun sens de l'orientation (!). Traverse la frontière sans s'en apercevoir arrêtée par deux gardes hongrois elle a appris qqs mots mais ils la reconnaissent embarqués interrogés séparément on lui offre l'asile politique elle dit : nous tous ou rien (la gym : habitude de l'équipe ?) La police hongroise accepte. Mais Hongrie = Securitate trop près, s'enfuir en Autriche le lendemain sa photo 1ʳᵉ page quotidiens : officiellement « disparue » en Roumanie. Se séparent en 2 groupes 2 voitures jusqu'à la frontière* MAIS *: la police autrichienne arrête des voitures au hasard. Traverser ailleurs et de nuit. Concentre-toi sur : rester vivante. Six ou sept heures de marche, clôtures de barbelés enjamber sang*

273

*cachés allongés à plat ventre herbes attendre P. a cassé*
*un phare de la voiture pour être reconnaissable, puis*
*motel, dorment tous dans la même chambre par terre*
*la fête!! L'ambassade américaine. « Je suis Nadia C. »*
*On me regardait comme un fantôme aller en Amé-*
*rique vite/avion dans deux heures. J'étais sur un genre*
*de liste : personnes avec « compétences spéciales ». Arri-*
*vée à New York après vol de dix heures, conférence de*
*presse. Je venais de quitter ma famille trébuché l'eau*
*glacée l'obscurité barrières de fils de fer barbelés, bles-*
*sée, pas dormi balles dans le dos à chaque instant. J'ai*
*prié qu'on ne me renvoie pas en Hongrie en Autriche*
*accompagnée d'un homme que je connaissais mal, la*
*salle pleine journalistes surexcités qui hurlaient mon*
*nom flashaient tout près. J'étais en état de choc. Je pen-*
*sais que j'obtiendrais un job formidable, que personne*
*ne m'aurait oubliée qu'on m'admirerait.* "

## ZÉRO ZÉRO VIRGULE ZÉRO ZÉRO

*Comment se serait déroulé notre échange si j'avais envoyé le chapitre suivant à Nadia C.? Aurions-nous incriminé le puritanisme de l'Amérique en 1989? Mais alors, qu'aurions-nous fait de ce portrait paru la même année dans un quotidien français, celui d'une "matrone boursouflée entrée en disgrâce une fois devenue femme"?*

*Les petites filles qui l'ont tant aimée les regardent-elles, ces émissions grand public où l'on s'esclaffe : "Ceauşescu a tout fait raser sauf les jambes des femmes! Nadia est partie parce qu'on l'empêchait de devenir entraîneuse, personnellement je n'y vois aucune objection!" (la marionnette Mitterrand dans le* Bébête Show *de décembre 1989). Les petites filles assistent-elles à l'écartèlement public du corps de Nadia C., brutal renversement arrière, des légions de petites filles témoins de la condamnation de celle qui n'a jamais souri, jamais dit merci à ceux dont la fureur se répand en chiffres et en centimètres, fureur que l'objet de leur désir ait déserté le maillot sans taches de l'été 1976. La fée sans autre désir que celui d'accrocher à son cou fragile des médailles dorées dégage aujourd'hui un parfum moite, son attitude est choquante, disent-ils. Certes, mais "son apparence l'est bien plus !" assène un célèbre éditorialiste américain en guise de conclusion. Car c'est de ça dont il est question : de tissus trop courts, pas assez chers, de nacres mal appliquées, de rouge trop rouge et de chair insouciante. Son péché, résume le* New York Times *: "Elle est devenue comme les autres."*

*Alors, elle sera jugée comme les autres.*


PATCHWORK
(*Los Angeles Times New York Times Newsweek Sentinel Orlando Times Le Monde Libération L'Équipe L'Humanité Le Nouvel Observateur*)

C'était un lutin vierge qui, d'un adorable geste de la main à la fin de ses exercices, nous faisait frissonner, ses cheveux brillaient comme ceux d'une poupée, rien, chez elle, de ces adolescentes lascives et molles que Hollywood nous sert à la louche : c'était un angelot de fer, moralement inflexible. La petite communiste qui enseignait au monde entier l'équilibre sur les pointes de ses petons rayonnait sur nos vies, jusqu'au moment où : elle nous piétine ! Il est temps que l'Amérique se désintoxique de Nadia. Évidemment, on ne peut s'empêcher d'être nostalgique en la regardant : la petite Nadia n'est plus petite ni, comment dire ça gentiment, une bombe qu'on noterait 10 sur 10. C'est une réfugiée politique. Là-bas, dit-on, ils n'ont ni café ni biftecks, OK. Nos pauvres, ici, non plus ! On ne peut pas accueillir toute la misère de ce monde (surtout que ça n'est pas réellement de la misère car… une réfugiée, celle-là dont *Newsweek* affirme qu'elle vivait comme une rock star dans une villa de huit pièces avec servantes?). Elle avait adhéré au Parti communiste roumain par opportunisme, on la sent incapable d'un engagement idéologique réfléchi. Renvoyez la princesse gâtée gâchée dans son pays, on a tout ce qu'il faut, ici, en matière de bimbos avides et amorales. La vierge vestale des olympiades est devenue une traînée de tabloïds avec le désir de liberté comme explication à tout et aucun remords, avec ça – on a l'impression de voir Cendrillon dans un porno – salope – gourgandine – souillon – grosse vache – la salope du trampoline – la concubine rouge – bouffie qui teint ses cheveux – une Barbie tombée entre les mains d'une esthéticienne *cheap* – tout ce maquillage, la souplesse nerveuse de sa jeunesse s'est transformée en une flasque maturité aux jambes épaisses. La pute de l'année trois semaines avant Noël! Merci pour le cadeau! Le *perfect* 10 est devenu une tonne parfaite, tu quittes un elfe et tu retrouves une grosse bonne femme hébétée aux cheveux décolorés qui ne comprend rien à l'art et la manière de se construire une bonne image dans notre économie libérale. Elle est usée, grossière et malpolie, ne dit ni merci ni s'il vous plaît. Les plantes dans sa chambre de motel sont mortes et la télé reste allumée en permanence, ses talents culinaires se résument à préparer un café instantané. Elle n'a pas l'air d'avoir un cerveau. Elle a exigé d'être payée pour l'entretien, on dit que *Life* a donné vingt mille dollars à moins que ça ne soit deux mille dollars. Quelqu'un m'a raconté qu'il a rencontré son frère en Roumanie, un skinhead qui lui a servi un mélange dégueulasse de vin blanc et de faux Pepsi et montré une vidéo du dernier anniversaire de Nadia. On la voit danser avec des militaires obèses au teint cadavérique. Elle fume et boit énormément. Depuis qu'elle est arrivée, tout ce qu'elle fait c'est manger, boire et acheter ! Elle nous faisait craquer cette gracieuse et souple enfant des rues, mais là, nous voilà face à une femme d'un certain âge, vingt-huit ans, au sacré tour de poitrine ; tout en elle aujourd'hui rappelle le malheureux destin biologique féminin, ce moment où les femmes commencent à préférer porter des chaussures confortables et où elles s'habillent en L. En conclusion : Nadia, tes notes sont très basses, les juges américains sont inflexibles !

Pour ta grande évasion, avec parcours de la combattante dans la glace et la boue, beau niveau de difficulté : 8,5. Tu as bien rampé !

Pour ta pose "statue de la Liberté" : disons 6,5.

Pour ta danse : "J'aime McDo et les grosses voitures et je voudrais, Dieu s'il te plaît, un gros contrat pour me payer tout ça" : 9,5.

Pour avoir atterri aux États-Unis en chevauchant le mari d'une autre : tu as mordu la bande blanche, chérie. Zéro.

Quant à la tenue de compétition, on sait que tu viens de la banlieue du monde, mais tout de même, le blouson crasseux et ce tee-shirt aux aisselles blanchies de déodorant, toi, la fée qui ne transpirait jamais !

Là où tu restes parfaite, c'est au sol, comme d'habitude… Vas-y chérie, écarte un peu plus les cuisses et pense à l'Amérique et à ce que tu vas pouvoir soutirer aux sponsors (même si, ces jours-ci, ils semblent avoir rangé leurs chéquiers). Allez : 10.

## SELON LES RÈGLES EN VIGUEUR

*Un instant, on croit l'avoir perdue, la crâneuse qu'on a tant aimée, celle qui s'échappe toujours, même in extre-mis, qui se jette dans le vide sans oublier de nous saluer auparavant. Dans une émission télévisée américaine, quelques mois après son arrivée, elle supplie, balbu-tiante : "Je voudrais pouvoir tout réécrire. Ce que j'ai dit, ce que j'ai fait, la façon dont j'étais habillée… Que personne ne se souvienne des bas résille, du maquillage, ce bleu aux paupières… Mes minijupes, moi, je croyais que c'était joli. J'aurais aimé que quelqu'un m'apprenne comment s'habiller aux États-Unis…"*

*Qu'on lui apprenne. Qu'on la réécrive. Qu'on l'absolve. La petite communiste criblée de notes et de chiffres et de mots.*

```
CODE DES POINTS, GYMNASTIQUE.
SELON LES RÈGLES EN VIGUEUR, LES JUGES PEU-
VENT PRENDRE EN COMPTE CINQUANTE-CINQ FAUTES
POSSIBLES DANS L'EXÉCUTION D'UN EXERCICE À
LA POUTRE OU AUX BARRES ASYMÉTRIQUES. IL
EXISTE CINQUANTE-CINQ FAÇONS DE DÉDUIRE DES
CENTIÈMES D'UN 10, CINQUANTE-CINQ ERREURS
```

À ÉVITER EN MOINS D'UNE MINUTE TRENTE :
UN DÉSÉQUILIBRE, UNE PAUSE TROP LONGUE, UNE
HÉSITATION, UNE POINTE DE PIED MAL TENDUE,
UN GESTE IMPRÉVU, DES GENOUX UN PEU TROP
FLÉCHIS, OUBLIER DE SALUER LES JUGES AU
DÉPART ET À L'ARRIVÉE.

## MARKETABILITÉ

Le maire de Hollywood (Floride) voulait lui offrir les clés symboliques de la ville à son arrivée mais : "Avec ce *so what*, je me suis dit, Nadia, tu viens de merder, là."

Pour Pat R., responsable des téléfilms à NBC, elle cumule deux handicaps : les très jeunes téléspectateurs ne connaissent pas son nom, et l'histoire du triangle amoureux fera fuir les annonceurs. Jay O., vice-président de l'International Management Group, qui présente des sponsors aux gymnastes : "Personne ne veut plus la toucher. On peut lui pardonner de n'être finalement qu'une femme qui rêve de profiter de l'*american way of life*, hélas, l'*american way of life* n'est pas tendre avec les briseuses de ménage qui ne montrent aucun remords…" Leigh S., un agent sportif, la trouve, lui, encore marketable (cette fuite romanesque !), elle continue d'être une figure vendeuse excitante, en revanche Barbara B. de NY Grey Advertising est sceptique : "Pour Kellogg's et Reebok c'est fichu." Comme Vangie H. de J. Walter Thompson Agency, elle explique : "On préfère que nos clients soient le plus propre possible, désolée." Dennis B., vice-président de Dave Bell Associates Inc., une société de production californienne qui voudrait faire un feuilleton de la vie de Nadia, continue d'y croire, Nadia pourrait gagner cinquante mille ou cent mille dollars par épisode. Don M., dont la compagnie, Picture Perfect Inc. de New York, envisage aussi un film, pense qu'il serait bon que Nadia tourne d'abord des pubs pour des produits familiaux mais sexy ; une voiture, peut-être : "D'Est en Ouest, Ford !" Ou un déodorant : "No Sweat, pour être impeccable en toutes situations !" Une célèbre marque de détergent va sans doute lui proposer un contrat publicitaire, après l'interview dans laquelle Nadia a reconnu que sa tentative de suicide à l'eau de Javel, lorsque le pouvoir roumain l'a séparée de Béla, était bien réelle. Avant tout, il faut qu'elle mette fin publiquement aux rumeurs d'adultère. On pourrait organiser un genre de confession télévisée, on inviterait un chef religieux de son pays, ils sont quoi, là-bas, musulmans ou orthodoxes ? Ça serait pas mal aussi qu'elle évite les blagues douteuses, comme l'autre jour, où un journaliste de *Rolling Stone* lui a demandé si elle était alcoolique. "Alcoolique, moi ? Ben… Il n'y a plus assez d'alcool en Roumanie pour être alcoolique !"

En dépit de son image ternie, le service de l'Immigration et de la Naturalisation a assuré que le statut de réfugiée de Nadia n'est pas en danger, pour le moment.

## TU N'AS PAS ÉTÉ LE PREMIER

Le maître ès fées, boss du laboratoire des petites filles américaines, est convoqué de talk-shows en interviews. Béla, vous avez perdu le contrôle, là, non ?

Béla : "Oh, elle a toujours été ambitieuse, elle tenait à s'élever aux plus hauts rangs du pays, elle a toujours eu ce côté… affamé."

Et que pense-t-il de la réponse de Nadia, par magazines interposés : "Béla ment. Je voudrais ajouter quelque chose : il n'a été que mon deuxième coach, et pas le premier contrairement à ce qu'il raconte partout."

Béla : "Ce que j'en pense ? Rien. Ce qui m'inquiète en revanche, c'est qu'aujourd'hui, avec son image, elle salit la gymnastique. Ah, j'aimerais qu'elle soit encore ce qu'elle a été… Fragile, innocente et pure. Maintenant son image est aux chiottes et ça me fait mal, Dieu que ça me brise le cœur !"

## INTERNATIONAL SOAP OPERA

Bobby C., ancien comédien de stand up devenu avocat des stars (Michael Douglas, Burt Reynolds, Dustin Hoffman), a tout de suite perçu le potentiel de Maria, l'épouse bafouée de P. À vrai dire, c'est lui qui l'a contactée. Et aujourd'hui, tous la veulent ! Larry King, *People Magazine*…

"Je l'ai mise sur le marché des interviews payantes pour lui garantir un salaire. Comprenez bien : j'essaye de créer un produit avec Maria parce qu'elle peut toucher le jackpot, on est presque à Noël et elle a une sacrée histoire à raconter !"

\*

FACE A

La caméra balaye le petit salon de la maison située en banlieue de Hollywood, Floride. Aucun jouet ne traîne au sol, des fleurs jaunes en plastique trônent dans un vase en verre soufflé mauve, un napperon brodé rouge et noir est disposé sous le cendrier vide. L'intervieweur, un homme d'une trentaine d'années, détache lentement ses mots les uns des autres quand il s'adresse à Maria P., jeune femme blonde à la mine harassée assise sur le bord d'un fauteuil terne, quatre enfants entre deux et cinq ans autour d'elle et sur ses genoux. De temps en temps, elle lisse ses cheveux d'une main et de l'autre vérifie les boutons de son chemisier. Elle répond sans hésiter d'une voix monocorde. Non, elle n'avait plus de nouvelles de son mari depuis le 2 novembre, date à laquelle il est parti rendre visite à sa mère malade en Roumanie. "OK Maria. Et vous l'avez revu, vous avez tout appris en?... En direct! En retrouvant votre mari invité-vedette d'un talk-show! Incroyable! Et en compagnie de... Nadia, la célèbre gymnaste de votre pays!"

"Mon mari, artisan de la fuite de Nadia, j'étais si fière au début, avant de, avant..." L'interviewer se penche vers Maria et lui saisit la main, une communion. "J'ai tout de suite préparé la chambre d'amis pour... elle. On peut aller voir si vous voulez, la chambre. À la télé, il a dit qu'il est son... manager aussi." Plan sur les ongles tourmentés de Maria, ses mains sèches qu'elle porte à ses yeux au moment où elle explose en larmes tandis que l'interviewer s'écrie : "Oh mon Dieu mon Dieu." Il se tourne vers la caméra : "Mme P. pleure (on entend des reniflements), car lors de la conférence de presse, Nadia portait, Maria, courage, dites-nous, toutes les femmes du pays vous soutiennent!"

Maria P., son bébé blotti dans son cou, gémit avec un très fort accent roumain : "... elle portait la chaîne et la bague de mon mari!" En plan rapproché, elle sanglote rythmiquement : *"Come home come home come home!"*, le générique de fin de l'émission se déroule sur l'image muette d'une

Nadia C. extatique, la tête renversée en arrière, elle salue. Coupez.


FACE B

Début décembre 1989, un reporter du *Los Angeles Times* rencontre Maria P. Son article dubitatif paraît en dernière page, section People, réduit à ces quelques lignes : "Maria passe l'aspirateur dans une vieille Buick garée devant sa maison, elle fume en chantonnant *Personal Jesus*, elle a l'air soulagée d'avoir trouvé une belle source de revenus avec ce scandale. D'après ses voisins, son mari lui interdisait les cigarettes et les sorties, il la maintenait enceinte en permanence."


VALISE

*Je m'étonne, un jour où, avec Nadia, nous revenons sur les chapitres achevés, qu'on n'ait dans l'histoire aucun coup de cœur, ces hommes qui seraient "l'opposé de ceux qui se sont tous improvisés managers, comme ce P."...*
*Sa soudaine colère me prend de court, son exaspération : "Je ne vais pas encore m'excuser ! Le but de P. était évidemment de devenir mon manager, il me l'a annoncé dans l'avion vers New York. Moi, c'est vrai, j'ai accepté. Parce que ma liberté valait bien ça, vous comprenez ?"*
*Ce jour-là, pourquoi ne me présente-t-elle pas sa version de cette affaire, un retournement digne d'un téléfilm, dévoilé à l'automne 1990, un an après son arrivée, lors d'une nouvelle conférence de presse. Où elle révèle qu'en réalité, P. l'a retenue prisonnière sur le*

territoire américain et lui a volé cent cinquante mille dollars gagnés en interviews. Et aussi qu'elle le connaissait depuis une semaine à peine quand il l'a aidée à fuir : "J'ai raconté que je le connaissais bien parce qu'il m'assurait que ça faisait mieux pour obtenir un visa, il m'avait aussi conseillé de dire que je ne voulais ni refaire de gym ni revoir Béla. Il ne me laissait jamais seule. Je n'avais personne vers qui aller. P. et sa femme se parlaient chaque soir au téléphone. Le scandale leur a rapporté beaucoup. Il menaçait de me mettre dans une valise et de me renvoyer en Roumanie pour me donner à la Securitate."

SÉCURITÉS

*Décembre 1989*

Repérés le 5 décembre dans une décapotable noire, "Ils ont acheté la voiture samedi et l'ont payée cash vingt mille trois cents dollars", raconte Ken P., le concessionnaire Chevrolet.

Le 6, ils ont quitté le Diplomat Hotel à Hollywood Beach, où on les connaît sous le nom de Mr and Mrs Salders, sans doute par une porte dérobée, car ils ont réussi à échapper aux reporters qui les traquent depuis deux jours. Le 12 décembre, la réceptionniste du Beachcomber Lodge and Villas prévient la presse dès qu'elle reconnaît l'ancienne gymnaste mais trop tard : à l'arrivée des paparazzis, la chambre de Mr et Mrs Fonnors est vide.

Le 13 décembre, de sa chambre de l'hôtel Pompano Beach, en Floride, P. accorde quelques entretiens téléphoniques : "Je suis son manager et je vais l'aider à faire des films et des pubs." Ils vivent de l'argent des interviews qu'il négocie, les chèques sont tous rédigés à son nom.

Cathy C., serveuse dans un *diner*, explique lors d'un journal télévisé national que Nadia "est comme une enfant dans un magasin de bonbons. Elle mange cinq fois par jour, elle commande un steak à 7 heures du matin et un cocktail de crevettes à 11 heures; bah, elle s'amuse comme elle n'a jamais pu le faire chez elle… Le type qui l'accompagne? Elle dépend de lui pour payer, pour parler. On a discuté un peu toutes les deux, il était aux toilettes."

Perez D., barman de l'hôtel Great Western : "Elle m'a commandé un daïquiri à la fraise en regardant *Batman* à la télé. Puis, son image est apparue pendant les infos, elle a chuchoté : « Ce n'est pas ce à quoi je m'attendais je suis déçue tellement déçue. »"

Barmaids, serveurs, garagistes, badauds, réceptionnistes d'hôtel, caissières, passants, que de témoins non rémunérés, partout et toujours prêts, ravis d'en être, de ce rocambolesque procès télévisé. Qui se font fort de noter ce qu'elle mange et dans quel ordre dès qu'ils la reconnaissent au restaurant. Qui recopient sur un bout de papier la plaque d'immatriculation de sa voiture. Qui sont sûrs de l'avoir vue trébucher, ivre, dans une salle de jeux, ou l'ont repérée dans un bus, un supermarché, un square, elle leur a semblé grosse et seule.

*Tout s'est déroulé sous des caméras, mais après avoir été suivie par la Securitate des années sans parvenir à les repérer, c'était rafraîchissant de voir ceux qui me suivaient.*

*Nadia C.*

FAST FORWARD
RENDRE DES COMPTES

*1999*

Les cheveux courts et lissés vers l'arrière, de discrètes boucles d'oreilles, l'ancienne gymnaste invitée-vedette de l'émission *Stade 2* porte un tailleur d'*executive women* noir et blanc à fines rayures, l'œil fumé de fard à paupières taupe.

Le journaliste : "Vous étiez choyée par le pouvoir, quand même, non ?" Elle, agacée, en français : "Si j'étais privilégiée, pourquoi j'ai… parti et abandonné mes médailles, ma famille ?" Elle est interrompue par un Roumain dans le public qui prend brusquement la parole. Sans micro, on ne l'entend pas, il la pointe d'un doigt tremblant et semble lui demander des comptes, on saisit le nom de Ceauşescu. Elle bafouille. Le journaliste invite ce témoin inattendu à la table, celui-ci refuse et se rassoit, très pâle, il paraît bouleversé. L'entretien se poursuit.

"En 1989, quelques semaines après votre arrivée aux États-Unis, on avait voulu négocier, euh, enfin on avait demandé à P. de vous rencontrer, il a exigé dix mille dollars, on a refusé ; P. est parti au restaurant avec un autre, euh, client, un magazine japonais ; je vous ai alors appelée dans votre chambre. Pourquoi, si vous étiez vraiment prisonnière, pourquoi vous n'êtes pas descendue alors que vous étiez toute seule à ce moment-là ?"

À l'écran, brièvement, un dessin humoristique illustre l'embarrassant procès improvisé fait à Nadia C. : "Ils ne vont pas la torturer quand même ?" Retour sur elle, agitée, en français toujours : "Tu arrives dans un pays, tu ne connais rien. P. m'a dit : « Si tu fais quelque chose, je te ramène en Roumanie ! » J'étais peur de de… Mort ! C'est pourquoi je ne bougeais pas et, euh, j'ai déjà dit l'argent que P. a fait avec moi. Il fait tout pour me vendre. Moi, j'étais emprisonnée dans un pays… libre ! (Elle chuchote.) Tu sais… Il y a jamais quelqu'un qui… M'aide. Quelqu'un qui m'AIDE." (Ce dernier "aide" prononcé plus fort résonne un moment sur le plateau.)

Le journaliste hoche la tête, sourit, puis, il se cale profondément dans son fauteuil pour évoquer leur précédente rencontre, en 1983, à Bucarest : "Vous vous souvenez, Nadia ? Non ? Vous m'aviez demandé du chocolat et des cigarettes américaines ? Mmmm… Oui ? Eh bien, vous pouvez venir les chercher chez moi, hein, et quand vous voulez ! Ici, on a tout ce qu'il vous faut, tout !" (Rires des journalistes qui l'entourent.)

## MISSING IN ACTION

### Décembre 1989

Alors, encore une fois, elle instaure le silence pour reprendre son souffle : le 16 décembre 1989, elle disparaît.

"Quand tu auras retrouvé tes esprits, fais signe !", ironise Béla lors d'un reportage télévisé. "Je pense que je tomberai sur Nadia dans un tournoi de gym bientôt, enfin si elle peut se permettre d'acheter un ticket d'entrée", ajoute sur un ton prophétique le président de la Fédération américaine de gymnastique. Le directeur d'une célèbre agence d'artistes à qui l'on demande ce qu'elle vaut ces jours-ci répond : "Sa disparition mine sa marketabilité. Il faut payer un peu de sa personne tout de même !"

L'ancienne icône communiste s'éclipse, tandis que, dehors, son procès suit son cours. À moins qu'en réalité, tout ça ne soit un service funèbre. Celui d'un monde, qu'on a appelé un bloc, protégé d'un rideau de fer rouillé. Car finalement, ici, si on ne l'a pas aimé, on l'a estimé, ce méchant de série B.

Ce monde au-delà du nôtre. Implacablement meilleur et sévère. Un internat de l'excellence, leur discipline, la beauté de ces muscles rapides, cet éclat du rouge et or de l'étoile, l'immensité du rêve, un combat d'égal à égal, corps à corps de près d'un siècle entre pionniers.

Ouvrières aux avant-bras dorés, paysannes souriantes sous leurs fichus à fleurs, savantes chimistes surdouées en chignon strict, poétesses recluses et persécutées, sportives, ô gymnastes élastiques, limpides enfants malicieuses et surpuissantes. Tout ceci est terminé, car voilà la transparence, la perestroïka, qui annonce, comme échappées d'un cauchemardesque miroir, toutes celles qui sont devenues comme les autres, nous autres. Putes affamées, mères miséreuses et hagardes, ternes adolescentes converties aux refrains d'une pop libérale, top-magouilleuses-businesswomen-modèles, maladroitement avides de laisser derrière elles un monde échoué, qui, ce 19 décembre 1989, chute, en boucles télévisées interrompues toutes les dix minutes par les promesses d'une haleine plus fraîche.

## EXÉCUTER

*Le voilà le chapitre que je n'aurais pas eu besoin de vous soumettre. Celui qui nous met à égalité, dépendantes de ce qu'on en a lu, entendu, car nous n'y étions ni l'une ni l'autre.*

*J'avais souri un jour où vous m'aviez très sérieusement affirmé qu'en Roumanie, on pensait que vous aviez contribué au soulèvement populaire menant à la chute de Ceauşescu, un catalyseur, votre fuite une preuve que plus personne ne pouvait supporter ce régime. "Si je résume, vous avez fait sauter un système d'ordinateur olympique réputé infaillible et fait tomber un dictateur, pas mal!", vous aviez acquiescé joyeusement à l'autre bout du fil, presque enfantine de fierté.*

*À Bucarest, j'ai rencontré quelques-uns de celles et ceux qui étaient Piaţa Universităţi au moment où les premiers coups de feu ont retenti en décembre 1989. Qui ont dû ramper deux jours durant dans leur appartement car les balles fusaient au travers des immeubles et personne ne savait qui tirait sur qui. J'ai interrogé certains dont la sœur est morte à quinze ans, écrasée par les chars.*

294

*D'autres sont venus au rendez-vous chargés de versions multiples ; pour raconter la Révolution, on ne pourrait pas en choisir une, protestaient-ils, il me faudrait réarranger tout le bouquet. Puis il y a eu des rendez-vous annulés. Des refus las de commenter une nouvelle fois les célèbres images et ce débat : y a-t-il vraiment eu une révolution ou un coup d'État ? Quel geste a entraîné la chute ? Et vous, Nadia, là-dedans. Accusée d'être partie bien trop tard, est-ce que ça n'était pas le signe d'une fuite orchestrée par des proches de Ceauşescu désireux de le remplacer qui vous auraient aidée, vous l'emblème du pouvoir, à fuir ? N'importe quoi, s'offusquaient vos partisans. Pensez à ce qu'elle a enduré avec le Roitelet, elle vous l'a raconté, ça ?*

Attablée dans un café de Bucarest, j'écoute le témoignage d'une jeune femme dont le père n'a cessé de s'opposer aux décrets, constamment, courageusement. Le fils de Cristina sirote une limonade, il a une dizaine d'années et s'ennuie jusqu'à ce que nous évoquions les images de l'exécution de Ceauşescu. Quand il regarde "le film", il a pitié. Sa mère sourit, gênée "Qu'est-ce que tu dis, voyons !" Le petit persiste : "Oui j'ai pitié, dans le film, Ceauşescu est vieux comme un grand-père, Elena aussi, ils tremblent et se tiennent la main avant de mourir comme des amoureux."

"Je suis là, Lenutza", murmure le Camarade pendant son procès, réconfortant d'un diminutif sa femme aux cheveux couverts du fichu des paysannes, celles-là qu'ils ont tenté d'éradiquer du pays. Une banale intimité de vieillards hébétés qu'on sort de leur sommeil prolongé, ces images diffusées dans le monde entier. Et ils l'ont tant radotée, leur propagande, qu'ils y croient jusqu'au bout, ces vieux minables, persuadés que tout ça est le fait de "terroristes étrangers, des Libyens, des Syriens!" et que la poignée de main à Malte a réglé le sort du pays, deux chefs d'entreprise exemplaires Est-Ouest qui se mettent d'accord pour éliminer un vieux mafieux ringard.

"Mes enfants, vous devriez avoir honte, honte", gronde la Camarade aux soldats qui la ligotent avant de la fusiller, elle, l'"Héroïne, mère, scientifique, la preuve de l'éthique, du savoir-faire et de la dignité de la femme socialiste, de la femme roumaine", ces termes choisis par l'écrivain officiel à peine quelques semaines auparavant. La Vieille tient entre ses mains un petit sac en plastique. Des secrets nucléaires? Des listes d'opposants à éliminer? Non, l'ordonnance des médicaments du Vieux pour son diabète. Et leurs accusateurs invisibles, ceux-là qui furent de zélés subalternes, se hâtent d'en finir, qu'on les fusille pour que se rendent les derniers sécuristes qui tirent toujours sur la population dans les rues de Bucarest.

Voilà. C'est fait. Leurs cadavres doivent être portés jusqu'à une morgue par de solides volontaires, ce militaire champion de canoë, un autre de rugby, un champion de football et un autre de hockey, mais les corps, ce 25 décembre 1989, ne sont nulle part, on a beau fouiller le stade où on croyait les avoir laissés, ils ont disparu. Jusqu'au matin du 26 où on les retrouve sur un autre stade. Qui les a déplacés? Pourquoi? Inexactitudes, approximations, bizarreries : une fois la peine de mort prononcée, les journalistes pensent que l'exécution aura lieu plus tard dans la soirée ou le lendemain. Le caméraman débranche sa caméra à l'instant même où la fusillade éclate dans la cour, il ne parviendra à filmer que les deux corps disloqués, à terre. Un quart d'heure à peine s'est écoulé entre la sentence et l'exécution.

ALLÔ QUI C'EST?

*Jeudi 21 décembre 1989*

Ils savent. Les uns comme les autres, ceux qui depuis des années ordonnent et ceux qui leur obéissent. Tous suspendus chaque nuit, depuis le vendredi 15, au récit de la voix de Radio Free Europe : non, elles ne cèdent pas, ces silhouettes amassées au creux de la nuit de Timişoara, frigorifiées, qui réclament le retour du pasteur que Ceauşescu vient de condamner à la résidence surveillée, soupçonné de sermons "subversifs".

Plus de mille sur cette grande place, pour la plupart, nés du décret 770, nés d'avortements ratés ; ils possèdent trois fusils en tout, quatre peut-être, mais ils avancent vers les soldats qui les tiennent en joue. Tirez sans sommation, ordonne le Roitelet mis au courant : c'est l'état de guerre ! Quelle guerre ? Ils sont morts déjà, tués à bout portant. Alors on fera la grève, décident les survivants.

À Bucarest, ils savent également, ces ouvriers désignés que les sécuristes poussent devant eux, vite,

298

il faut remplir ce bus qui part de l'usine pour aller applaudir le discours de celui qu'ils nomment l'Odieux, un discours préparé hâtivement, pour affirmer son autorité face aux événements.

Et il résonne, l'écho des corps sur lesquels on trébuche dans les rues de Timişoara, et ils s'en saisissent, ceux-là qu'on a amassés dans le bus. Il faut faire quelque chose. Sur le trajet qui mène au centre de Bucarest, le plus discrètement possible, ils chuchotent, que faire, sauter en marche, persuader le conducteur de s'arrêter ? Impossible, ils sont encadrés de camionnettes emplies des accessoires habituels, drapeaux bleu-jaune-rouge, banderoles à la gloire du Vieux. Eh bien, s'il faut assister au spectacle une fois encore, on le huera, on griffera le silence construit à la force de l'épouvante qu'on leur fourre dans la gueule jusqu'au cerveau depuis des années.

Ils sont une vingtaine à se mettre d'accord. Ils crieront : Timişoara. Estomaqués de leur décision, les entrailles tordues, ils se taisent et regardent les rues vidées de la capitale par la vitre. Tous les ouvriers des usines de Bucarest sont déjà sur la place du Palais. Les pionniers au premier rang, encadrés de membres importants du Parti. La tribune est protégée par des rangées de policiers. Les gardes surveillent les rues alentour. Des sécuristes sont disséminés partout au sein de la foule.

Comment font-ils ? Prennent-ils une grande inspiration avant de se lancer ou, au contraire, bloquent-ils tout, peur, souffle, tout ce à quoi il ne faut pas penser ? Un super super E. Laisser l'air s'infiltrer dans la gorge desserrée, durcir l'abdomen, faire de la cage thoracique un espace de résonance et, presque inaudible au milieu des obligatoires "hourra !

CE-AU-SES-CU", laisser s'évader un minuscule : ti-mi-şo-a-ra ti-mi-şo-a-ra.

Quelques sanglots s'échappent des corps stupéfaits qui les entourent. Un tremblement, suivi de rien. Interruption du récit. Le Camarade sur l'estrade, silhouette vieillie en manteau noir et chapka d'astrakan, s'est tu. Médusé. Il se tourne vers la Camarade, vers ses ministres figés.

Et ils ne sont plus que deux sur les vingt ouvriers qui s'étaient fait serment, dans le bus, de faire quelque chose. Deux qui, à la main, tiennent encore ce petit drapeau bleu-jaune-rouge qu'on leur ordonne d'agiter, et ils avancent, ils marchent, où vont-ils, aucune idée, ils progressent lentement au milieu des Effarés, ti-mi-şo-a-ra ti-mi-şo-a-ra. Le Vieux s'éclaircit la voix, il tapote son micro comme un vieux combiné téléphonique hors d'usage, sans doute un problème technique – rétablir le fil de – qu'est-ce qu'il disait déjà, oui, la menace terroriste sur le pays, ces agents étrangers venus semer la pagaille à Timişoara – la Roumanie condamne cette a-gres-sion – nous rétablirons l'ordre et le – surtout ne pas penser à – le Mur – Rostropovitch – les Bulgares Pologne Allemagne – une poignée de main la transparence, qu'il dit, l'autre Russe manager de – il a le vertige. Humecte ses lèvres sèches.

AL-LÔ ? Il interroge le vent de décembre parsemé de cris lointains, ti-mi-şo-a-ra ti-mi-şo-a-ra. Al-lô Al-lô ? Mais qui est là ? Qui êtes-vous ? C'est qui. Qui sait. Dans le fond il lui semble voir une ondulation, le ciel brille, violent et glacé, est-ce une nouvelle chorégraphie des enfants, ces merveilleuses petites, ou alors ? La Plus Grande Scientifique au monde lui empoigne le bras, lui souffle un texte qu'il ne connaît pas, mais qu'est-ce qu'elle raconte leur promettre une augmentation, elle répète, vieille maîtresse d'école qui ne parvient plus à tenir la foule AL-LÔ, elle crie, mais loin du micro sa voix dérisoire croasse, silence taisez-vous hein silence hein taisez-vous ça suffit qui est là et lui, le Vieux, se raye, s'enraye, il hoquette allô allô allô a ll ô allô allô *So what*. Qu'importe. C'est terminé. L'image se fige, la retransmission télévisée s'interrompt, on lance une chanson patriotique sur la mire tremblotante.

Puis l'émission spéciale reprend : sous un ciel tendre et bleu, une foule en tenue légère se presse devant la tribune, c'est qu'il a fallu faire vite pour trouver des images et être en mesure de continuer le récit coûte que coûte : ce sont celles d'un meeting de l'été dernier.

*

À quel moment tout s'inverse ? Quel est l'événement qui transforme ces éternels spectateurs en acteurs ? Quelques courageux crient "Timişoara" et presque immédiatement, une explosion provoque un mouvement de masse et tous fuient la grande place, s'éparpillent, tournant le dos au Camarade sans en avoir reçu l'autorisation, du jamais vu. Mais cette explosion, qu'est-ce que c'est ? Un modeste pétard lancé par les ouvriers déterminés à en finir ? Une diversion du pouvoir destinée à couvrir les slogans hostiles à Ceauşescu ? Le bruit de chars investissant les boulevards alentour pour contenir les premiers opposants, un petit groupe de manifestants qui tentent déjà d'accéder au palais ? Et le lendemain, qui tire sur la foule compacte qui, pour la première fois, se rassemble de son plein gré? Près de mille morts en quelques jours pour une révolution sans velours. Impossible d'imaginer que ce sont les ricochets de balles maladroites, me dit-on à Bucarest. Alors d'où viennent ces rafales? De ces mythiques bandes d'orphelins détraqués, derniers soutiens de Ceaușescu entraînés depuis l'enfance à le vénérer et le protéger? D'agents soviétiques, ces trop nombreux touristes qui sont entrés dans le pays début décembre? Qui dirige les snipers? Qui tire sur qui? Tout le monde tire sur tout le monde car depuis des décennies plus personne ne sait qui est qui. À qui se fier.

## DES CHIFFRES : 13-95-25

*Appels enregistrés entre le 25 et le 26 décembre au 13-95-25, le répondeur de la télévision roumaine qu'ont investie les révolutionnaires, au moment où, bien qu'on ait annoncé l'exécution des Ceauşescu, aucune image n'a été diffusée.*

"Allô ? Je suis la mère d'un soldat de vingt et un ans (sanglots). Je, je n'ai aucune nouvelle. Y a-t-il quelque part une liste des blessés ? Des... morts ?

— Allô ? Allô ? Présentez-vous au moins, vous, à la télévision ! Qui êtes-vous ? On veut des images de l'exécution. Le film. Des détails.

— Allô ? Je veux des nouvelles du Camar, je veux dire de l'ex-Camarade.

— Allô ? Écoutez : mon frère est dans la Securitate, il n'a pas d'arme, jamais il n'en a eu, qu'est-ce qu'il vous prend à tous de parler d'eux comme du diable, c'est faux, faux !

— Allô ? Je veux voir. Tout. On veut tout voir.

— Allô, on a aboli la censure il y a trois jours et vous, vous (il crie) pourquoi on devrait rester calmes et patients encore, encore ? Hein ? (Il sanglote.)

— Allô ? Bon, alors : ma femme a disparu depuis deux jours. Cherchez-la s'il vous plaît. Dans les hôpitaux, partout ! Elle est certainement une, une, une complice ! De ces terroristes, des sécuristes, donnez son signalement à tout le monde ! Arrêtez-la !

— (Furieuse, elle hurle, déclame.) Est-ce qu'on est encore en train de se faire arnaquer ? On va, on va mettre une bombe à la fin, nous les femmes, toujours sous la coupe d'autres, la Roumanie des corps obéissants est morte, monsieur !

— Allô ? Allô vous m'entendez ? Ha, c'est un répondeur… Du fond du cœur, du fond de l'âme, nous vous supplions, on veut voir le criminel, on veut le juger nous-mêmes, ne le faites pas…"

*Messages enregistrés sur le même répondeur le lendemain, après la diffusion des images du couple Ceaușescu mort.*

"Allô, j'ai une question : pourquoi le cadavre a les yeux clairs alors qu'en réalité il avait les yeux noirs ? Hein ? Hein ?

— (Épuisée.) Écoutez-moi… On… a… des… metteurs en scène. On… a… des… acteurs. On a… des… une championne… On pourrait… faire un… film de toute cette période, notre… la vie de ce sale type, nous."

\*

Ils courent en désordre vers le bâtiment abritant la télévision roumaine. Des milliers, glacés dans la nuit, qui scandent et exigent sans relâche jusqu'à l'aube :

*A DE VĂ RUL A DE VĂ RUL A DE VĂ RUL* (la vérité la
vérité la vérité la vérité).

À l'Ouest, on la connaît, la vérité. Oh, la version romantique a bien fasciné quelques jours, disons jusqu'au 24 décembre 1989, la veille de Noël. Ce peuple qui se soulève enfin, ce drapeau troué, ces foules qui chantent liberté, liberté, la chute du dictateur, la liesse d'être délivrés du communisme pour aller enfin vers une transparence moderne, finis les principes désuets et liberticides! Enivrés d'audimat, les médias occidentaux ne s'embarrassent pas de virgules et multiplient les morts de Timişoara, après tout, quelle meilleure fin à l'Histoire que ces cadavres du marxisme-léninisme, ces martyrs exemplaires d'un chef d'État que la France a malencontreusement décoré quelques années auparavant de la grand-croix de la Légion d'honneur…

Puis, très vite, gênés de n'avoir pas été assez attentifs aux détails de la dernière performance communiste, les juges de l'Ouest sanctionnent : cette mascarade de procès, la brutalité de la mise à mort, vraiment, les Roumains entrent d'un bien mauvais pied dans notre bal démocratique. L'histoire est gâchée par leurs mensonges, ces trucages grossiers, des faux charniers!

306

Verdict : "La pseudo-révolution roumaine n'est qu'un conte. Une mise en scène soigneusement préparée par les services secrets russes, en accord avec les Américains. Les Roumains, eux, n'ont pas fait grand-chose ! Gorbatchev était venu à Bucarest deux ans auparavant pour insister sur une libéralisation du régime, Ceauşescu, évidemment, s'était braqué. Avec la chute du mur de Berlin et celle des régimes communistes autour, il n'était pas pensable que le Vieux reste en place. La question n'était pas de savoir s'il allait tomber mais comment."

Et tandis que je prends note de ces preuves "incontestables", c'est elle qui me revient, la rage de Nadia, parfois, sa peine, lorsqu'elle avait l'impression que je n'écoutais pas ce qu'elle me disait, ce qu'elle appelait mon "arrogance occidentale", ma façon de dépeindre le bloc de l'Est d'une façon caricaturalement grise. Ma stupéfaction embarrassée quand, à Bucarest, j'ai été confrontée aux souvenirs contrastés des uns et des autres alors que je venais prendre note de leurs cauchemars. Les soupirs lassés de Nadia devant ma réticence à accepter que le laboratoire des petites filles, ce système tellement décrié de dressage de gymnastes communistes, l'Ouest l'avait formidablement reproduit dès qu'il avait pu mettre la main sur ses secrets de fabrication.

Les médias occidentaux managent le récit de la révolution roumaine, une histoire très semblable à celle de Nadia C. : des chiffres, des juges et du direct. La révolution, cet hiver 1989, fut le show mondial fascinant, le spectacle haletant d'une chute, détrônant celui des gamines implacables qui ne tombaient jamais.

Mais elle? Qu'a-t-elle pensé de la fin de cette obéissance collective à laquelle elle a assisté banalement, devant la télé, depuis une chambre de ces motels américains qu'elle devait quitter tous les jours, poursuivie par la presse? Nous ne les avons pas évoqués ensemble, ces mouvements de grève en 1977, en 1987, à Braşov, ces opposants, des étudiants, des ouvriers qui prenaient en otages les délégués du Camarade qu'on leur envoyait, et ces immenses portraits du Vieux qu'on retrouvait carbonisés dans les caniveaux sans que rien, ou presque, ne filtre dans le pays, ces soubresauts, petits gestes sans cesse masqués par les triomphes de Nadia. Qu'y pouvait-elle si elle était une superpuissance de gamine, une impossibilité biomécanique? Et qu'a-t-elle ressenti en voyant pour la première fois ce trou béant entre le bleu, le jaune et le rouge, cet écusson doré à l'étoile rouge qui faisait de son justaucorps blanc une cible, "je suis ici, approchez si vous l'osez". Qu'a-t-elle pensé de ces jours de décembre où la Roumanie, enfin, a pris sa ration de liberté?

*Je rêvais de liberté, j'arrive aux États-Unis et je me dis : c'est ça la liberté? Je suis dans un pays libre et je ne suis pas libre? Mais où, alors, pourrai-je être libre?*

*Nadia C., 1989.*

Le 18 juillet 2006, à 12 h 01, la vidéo de votre exécution parfaite à Montréal a été diffusée par le Deep Space Communication Program, des ingénieurs désireux de communiquer avec d'éventuels habitants de l'espace. Ils ont affirmé que ces images représentant "la beauté absolue" parcourraient des trillions de kilomètres au-delà du système solaire, des années-lumière.

Trente ans plus tôt, le 18 juillet 1976, dans la salle de conférence de presse de Montréal, à ces adultes qui réclamaient un merci et un sourire, vous avez répondu que vous saviez faire tout ça, mais une fois votre "mission" terminée. Mission accomplie. Ni merci ni pardon, les petites filles se jettent dans le vide à la vitesse d'une balle tirée d'un flingue, leur peau est nue, vous êtes venue nous enseigner l'espace, vous êtes épidémique, la belle aventure.

*Madame,*

*Vous m'aviez demandé, lors de nos entretiens, une liste de mes souvenirs. Je souhaite, si ça n'est pas trop tard, ajouter ceci : en 1988, une poignée d'étudiants courageux ont fait circuler des tracts de résistance qu'ils*

*signaient de cette phrase : ne me cherchez pas car je suis*
*nulle part.*

*Nadia C.*